A BIOLOGIA DA CRENÇA

Título do original norte-americano:
The Biology of Belief

A Biologia da Crença

Coordenador editorial: Ronaldo A. Sperdutti
Tradução: Yma Vick
Capa: Flávio Machado
Diagramação: Ricardo Brito
Revisão: Maria Aiko Nishijima
Auxiliar de revisão: Adriana Maria Cláudio
Impressão: Lis Gráfica

Dados Internacionais de Catalogação na Publicação (CIP)
(Câmara Brasileira do Livro, SP, Brasil)

Lipton, Bruce H.
A biologia da crença : ciência e espiritualidade na mesma sintonia : o poder da consciência sobre a matéria e os milagres / Bruce H. Lipton ; tradução Yma Vick. – 1. ed. – São Paulo : Butterfly Editora, 2007.

Título original: The biology of belief
ISBN 978-85-88477-67-4

1. Biologia molecular 2. Citologia 3. Espiritualidade 4. Filosofia 5. Psicofísica 6. Psicologia genética I. Título.

07-8303 CDD: 599.935

Índice para catálogo sistemático:
1. Genética : Antropologia física : Biologia 599.935

Petit Editora e Distribuidora Ltda.
Av. Porto Ferreira, 1031 | Parque Iracema
CEP 15809-020 | Catanduva-SP
17 3531.4444
www.editorabutterfly.com.br | atendimento@editorabutterfly.com.br

Impresso no Brasil, 2023.

23-10-23-5.000-92.100

Bruce H. Lipton

A BIOLOGIA DA CRENÇA

Ciência e espiritualidade na mesma sintonia: o poder da consciência sobre a matéria e os milagres

Tradução
YMA VICK

BUTTERFLY®
EDITORA

São Paulo – 2007

NOTAS DO EDITOR

Para melhor entendimento do leitor, os títulos de livros que já foram publicados no Brasil encontram-se citados apenas em português; os que aparecem em inglês, acompanhados de uma tradução (livre) para o português entre colchetes, são aqueles que não foram editados em nosso idioma até o momento.

Caso encontre neste livro alguma parte que acredita que vai interessar ou mesmo ajudar outras pessoas e decida distribuí-la por meio da internet ou outro meio, nunca deixe de mencionar a fonte, pois assim estará preservando os direitos do autor e consequentemente contribuindo para uma ótima divulgação do livro.

DEDICO ESTE LIVRO A

Nossa grande mãe **Gaia,**
Que ela possa nos perdoar por todos os erros
que cometemos para com ela.

Para minha mãe **Gladys,**
Que sempre me encorajou, incentivou e teve muita paciência
nos 20 anos que levei para desenvolver todo este material.

Para minhas filhas **Tanya** e **Jennifer,**
Lindas mulheres que sempre estiveram ao meu lado...
por mais estranhas que minhas teorias parecessem.

E especialmente para minha querida **Margaret Horton,**
Minha melhor amiga, companheira de toda a vida
e meu grande amor. Que nossa busca incansável
pela vida possa continuar para sempre!

AGRADECIMENTOS

Muito tempo se passou entre minha primeira inspiração científica e a criação deste livro. Durante esse período de transformação pessoal, fui guiado e abençoado por verdadeiras musas encarnadas e desencarnadas: as "musas inspiradoras das artes". Sei que devo muito a algumas delas em especial, pois ajudaram a transformar esse trabalho em realidade.

"As musas da literatura": a intenção de escrever um livro sobre a nova biologia surgiu em 1985, mas o processo só teve início realmente em 2003, quando conheci Patricia A. King. Patricia é uma escritora *freelancer*, que mora em São Francisco, na Califórnia, já foi repórter da revista *Newsweek*, na qual trabalhou como editora-chefe durante dez anos. Jamais me esquecerei de nossa primeira reunião. Despejei sobre ela uma série de teorias sobre a nova ciência, páginas e mais páginas de manuscritos, artigos de jornal que eu havia escrito, caixas contendo fitas de vídeo com palestras e vários impressos sobre o assunto.

Somente depois que ela saiu é que percebi o tamanho da tarefa que colocara em suas mãos. Contudo, mesmo sem ter nenhum

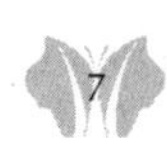

conhecimento teórico mais profundo sobre biologia celular ou física, ela fez verdadeiros milagres com o texto. Em pouco tempo havia aprendido tanto sobre a nova biologia que conseguia discorrer sobre o assunto. Sua incrível capacidade de integrar, editar e sintetizar informações foi o principal instrumento para que este livro se tornasse tão claro e acessível.

Patricia trabalha em projetos de livros, jornais e histórias para revistas com foco em medicina, mais especificamente a área que abrange mente e corpo e a relação entre o estresse e as doenças. Seu trabalho já foi publicado em revistas como a *Los Angeles Times*, a *Spirit* (da empresa aérea Southwest) e a *Common Ground*. Nascida em Boston, mora em Marin com o marido, Harold, e a filha, Ana. Sou profundamente grato a Patricia por todo o seu esforço e espero ter a oportunidade de escrever outros livros com ela.

"As musas das artes": em 1980 deixei o mundo acadêmico e "parti estrada afora" em um *tour* de shows chamados *The laser symphony* [Sinfonia do *laser*]. O grande mentor da produção era Robert Mueller, artista visionário e um grande gênio da computação gráfica. Desde adolescente, Robert se dedicou de corpo e alma ao conhecimento da ciência, primeiro como meu aluno e mais tarde como meu "filho espiritual". Quando soube que eu iria publicar um livro, se ofereceu para criar as imagens da capa, o que aceitei na hora.

Bob Mueller é co-fundador e diretor de criação da LightSpeed Design, em Bellevue, Washington. Sob sua direção, a empresa já produziu premiados shows de efeitos sonoros e de luzes em 3D para museus e planetários de diversas partes do mundo. Um show de entretenimento educativo que produziram sobre a fragilidade ecológica de nossos oceanos foi assistido pelos 16 mil visitantes

diários da World Expo em Lisboa, Portugal, no ano de 1998. Se desejar conhecer um pouco da fabulosa criatividade de Bob, visite www.lightspeeddesign.com.

Seu trabalho, inspirado na ciência e nos princípios da luz, é muito belo e profundo. Para mim é uma grande honra o fato de a arte da capa deste livro, que apresenta ao público os conceitos da nova biologia, ter sido desenvolvida por ele.

"As musas da música": da concepção da nova ciência à criação deste livro, sempre fui inspirado e energizado pela música vibrante do conjunto Yes, especialmente pelas letras de seu vocalista, Jon Anderson. Sua música e suas mensagens revelam grande conhecimento e compreensão da nova ciência, pois mencionam o tempo todo que estamos todos ligados à mais pura luz. Suas letras enfatizam o fato de que nossas crenças, experiências e sonhos moldam nossa vida e a de nossos filhos. Conceitos que levo páginas e páginas para explicar, o Yes explica em poucas linhas de sua poderosa música. Um verdadeiro trabalho de gênios!

Quanto à publicação deste livro, quero expressar meu agradecimento aos editores de Nova York, que não aceitaram minha proposta inicial de composição do material, pois graças a eles tive de criá-la *eu mesmo*, e exatamente da maneira como queria. E agradeço muito à Mountain of Love Productions, Inc. pelo investimento de tempo e recursos na publicação, especialmente a Dawson Church, da Cooperativa dos Autores. Dawson me permitiu ter a tarefa gratificante de administrar minha própria publicação e, ao mesmo tempo, contar com o marketing de uma grande editora. Obrigado, Geralyn Gendreau, por seu apoio e por apresentar meu trabalho a Dawson Church. A amiga e relações públicas Shelly

Keller também me ajudou muito dispondo de seu tempo e de seus conhecimentos editoriais.

Agradeço também a todos os meus alunos, ao público que assistiu a minhas palestras e sempre perguntava: "quando você vai publicar um livro?" Bem, aqui está ele! Seu apoio e incentivo foram muito importantes.

Não posso deixar de mencionar alguns professores que me guiaram e me apoiaram em minha carreira científica. Primeiro meu pai, Eli, que me inspirou a seguir meu propósito de vida e, principalmente, a enxergar além dos limites do óbvio. Obrigado, pai.

David Banglesdorf, o professor de ciências do curso ginasial, que me introduziu no mundo das células e acendeu minha paixão pela ciência. O brilhante Irwin R. Konigsberg, que me adotou e guiou durante meu curso de doutorado. Jamais me esquecerei daqueles momentos de "eureca" e da cumplicidade na paixão pela ciência.

Devo muito ao professor Theodore Hollis, da Universidade de Penn State, e Klaus Bensch, diretor de Patologia da Universidade de Stanford, o primeiro cientista "de verdade" a compreender minhas idéias não ortodoxas. Todos esses grandes pesquisadores me deram apoio, incentivo e espaço em seus laboratórios para investigar as idéias que apresento neste livro.

Em 1995, Gerard Clum, presidente da Life College of Chiropratic West me convidou a lecionar biologia fractal, o que me deu oportunidade de desenvolver meu próprio curso sobre a nova ciência. Sou muito grato a Gerry, que me abriu as portas aos universos da quiroprática e da medicina complementar.

Em minha primeira apresentação deste material, em 1985, tive a oportunidade de conhecer Lee Pulos, professor assistente

emérito do Departamento de Psicologia da Universidade de British Columbia. Durante todos esses anos, Lee contribuiu com seu trabalho e idéias para diversos conceitos da nova biologia que apresento neste livro. Meu estimado colega e amigo Rob Williams, criador da Psych-K, contribuiu para este projeto unindo a ciência das células aos mecanismos da psique humana.

A constante troca de idéias sobre a ciência e seu papel na civilização com Curt Rexroth, um grande amigo e profundo conhecedor de filosofia, trouxe mais consciência e alegria à minha vida. Meus agradecimentos também a Theodore Hall, que me ajudou a ver mais claramente a correlação entre a história da evolução celular e da civilização humana.

Agradeço também a Gregg Braden por suas brilhantes idéias quanto à publicação deste material e pela sugestão do subtítulo.

Cada um destes amigos leu e avaliou meu manuscrito antes de sua publicação. Suas contribuições foram vitais para o resultado que você tem agora em mãos. Minha eterna gratidão a cada um deles: Terry Bugno, David Chamberlain, Barbara Findeisen, Shelly Keller, Mary Kovacs, Alan Mande, Nancy Marie, Michael Mendizza, Ted Morrison, Robert e Susan Mueller, Lee Pulos, Curt Rexroth, Christine Rogers, Will Smith, Diana Sutter, Thomas Verney, Rob e Lanita Williams e Donna Wonder.

Agradeço também à minha irmã Marsha e a meu irmão David por todo o seu amor e incentivo. David, em especial, sempre fez referência à "quebra do círculo de violência" e acabou se revelando um pai maravilhoso para meu sobrinho Alex.

Dough Parks, da Spirit 2000, Inc. também ajudou muito neste projeto e não poupou esforços no sentido de divulgar a nova biologia.

Produziu diversas palestras em vídeo e *workshops* que a tornaram mais conhecida e acessível a muitos que desejam recuperar o poder sobre sua vida. Obrigado, meu irmão.

Mas esta lista de pessoas a quem devo tanto não seria completa sem o nome de Margaret Horton. Margaret foi e ainda é a grande responsável por minha idéia de escrever um livro ter se tornado realidade. Tudo o que eu digo e escrevo, querida... é por amor a você!

SUMÁRIO

PRÓLOGO

"Se você pudesse ser qualquer pessoa neste mundo... quem você seria?" Eu costumava passar muito tempo pensando nisso. Vivia obcecado com a fantasia de mudar de identidade, pois desejava ser qualquer pessoa menos eu mesmo. Minha carreira como biólogo e professor universitário era promissora e fascinante, mas minha vida pessoal era um verdadeiro caos. Quanto mais eu tentava encontrar felicidade e satisfação, mais insatisfeito e infeliz me sentia. Com o tempo, acabei desistindo e me entregando àquela vida sem prazer. Aceitei o fato de que era meu destino viver assim e que eu deveria tentar fazer o melhor possível com o que me foi oferecido. Tornei-me uma vítima da vida e meu lema se tornou: "o que será, será".

Porém, minha atitude fatalista modificou-se radicalmente em 1985. Eu tinha deixado meu cargo na Escola de Medicina da Universidade de Wisconsin e comecei a lecionar em uma faculdade de medicina no Caribe. Então, distante do mundo acadêmico tradicional, aos poucos minha mente passou a seguir outra linha de pensamento, fora dos padrões e crenças rígidos que até então havia seguido fielmente. Livre das concepções rígidas da ciência convencional e maravilhado com todo aquele mar azul do Caribe tive uma epifania científica que abalou todas as minhas crenças a respeito da estrutura da vida.

Tudo começou quando eu estava pesquisando os mecanismos que controlam a fisiologia e o comportamento das células. De repente, percebi que a vida de uma célula é controlada pelo ambiente físico e energético em que ela se encontra e não pelos genes. Os genes são meros modelos moleculares utilizados na construção das células, dos tecidos e órgãos. O ambiente funciona como uma espécie de "empreiteiro", que interpreta e monta as estruturas e é responsável pelas características da vida das células. Mas é a "consciência" celular que controla os mecanismos da vida, e não os genes.

Como biólogo celular, eu sabia que minhas descobertas teriam grande impacto sobre minha vida e a de todos os seres humanos. Cada um de nós é composto de aproximadamente 50 trilhões de células. Todo o trabalho de minha vida concentrou-se em entender melhor o seu funcionamento, pois sempre soube que o dia em que descobrisse exatamente como funciona uma célula eu descobriria como funciona todo o nosso organismo. Também percebi que, se uma célula pode ser controlada pelo ambiente que a cerca, nós, os seres vivos, que temos trilhões delas também podemos ser controlados. Assim como cada célula, o destino de nossa vida é determinado não por nossos genes, mas por nossas respostas aos sinais do meio ambiente que impulsionam e controlam todos os tipos de vida.

Por um lado, minha descoberta sobre a natureza da vida foi um grande choque. Fazia quase duas décadas eu vinha programando

todos os meus alunos a pensar exclusivamente dentro dos parâmetros do dogma central da biologia: a crença de que a vida é controlada pelos genes. Por outro lado, porém, minha intuição sempre havia me dito que não era bem assim que as coisas funcionavam. No fundo, sempre tive minhas dúvidas sobre o determinismo genético. Algumas delas surgiram ao longo dos 18 anos nos quais trabalhei no projeto de clonagem de células para o instituto de pesquisas do governo. Mas foi somente quando me isolei do mundo acadêmico tradicional que pude perceber a realidade com mais clareza. Minhas pesquisas mostraram que os conceitos mais profundos do determinismo genético estavam equivocados.

Minha descoberta sobre a essência da vida não apenas confirmou minhas pesquisas como também colocou em xeque outra crença que eu vinha incutindo na mente de meus alunos: que a medicina alopática é a única que merece consideração. Quando me conscientizei da importância da energia do ambiente ao nosso redor, compreendi de maneira mais profunda e abrangente as bases da ciência e da filosofia, da medicina complementar e também a sabedoria espiritual das crenças mais antigas, e passei a ver a alopatia com outros olhos.

Aquele momento de descoberta também me abalou porque contrariou todas as minhas crenças de que meu destino era ser uma pessoa infeliz. Não há a menor dúvida de que nós, seres humanos, temos a capacidade de nos apegar a falsas crenças e a defendê-las com unhas e dentes, e os cientistas não estão imunes a isso. Nosso desenvolvido sistema nervoso, aliado a um potente cérebro, é uma prova de que nossa consciência é muito mais complexa do que o simples universo celular. Quando nossa mente se concentra em

determinado assunto ou objeto, captamos e sentimos o ambiente de maneira muito mais abrangente do que as células, pois elas possuem consciência mais restrita e reflexiva do que a nossa.

Fiquei extasiado com a idéia de poder alterar meu destino modificando minhas crenças. O simples fato de perceber que este novo ramo da ciência poderia me fazer passar de mera "vítima" a "co-criador" trouxe-me grande alívio.

Já se passaram 20 anos desde aquela noite mágica no Caribe quando tive o vislumbre de realidade que modificou toda a minha vida. E as pesquisas biológicas que desenvolvi desde então só fizeram confirmar e ampliar os conceitos que compreendi naquele momento. Vivemos hoje uma era fantástica. A ciência está se libertando de velhos mitos e estabelecendo uma nova base de crenças com relação à civilização. A crença de que somos meras e frágeis máquinas controladas por genes está sendo gradualmente substituída pela consciência de que somos os próprios geradores e administradores de nossa vida e do mundo que nos cerca.

Há duas décadas venho divulgando e apresentando esses conceitos científicos a centenas de pessoas em palestras nos Estados Unidos, Canadá, Austrália e Nova Zelândia. As mudanças que essas pessoas estão conseguindo fazer em sua vida com essas informações têm me trazido muita alegria e satisfação. Conhecimento significa poder. Conseqüentemente, o conhecimento sobre o ser nos dá poder sobre nós mesmos e sobre nossa vida.

E é precisamente este conhecimento que eu ofereço a você neste livro, *A biologia da crença*. Espero que, ao ler estas páginas, você compreenda que muitas das crenças que impulsionam e controlam sua vida não são reais, e sim conceitos limitadores, e que passe

a querer modificá-los. Ao fazer isso, você reassumirá o controle de sua vida, permitindo a si mesmo ter mais saúde e felicidade.

Sei que se trata de conceitos revolucionários, de grande impacto e também de muito poder. A partir do momento em que me conscientizei deles, minha própria vida tornou-se bem mais completa. Deixei de passar o tempo todo perguntando a mim mesmo: "Se eu pudesse escolher alguém para ser neste mundo... quem escolheria?" Hoje a resposta é uma só: quero ser eu mesmo!

INTRODUÇÃO

A MAGIA DAS CÉLULAS

Quando eu tinha sete anos de idade, subi em uma caixa na sala de aula para espiar pela lente de um microscópio. Para minha decepção, a única imagem que vi foi a da luz refletida. Aos poucos consegui conter minha ansiedade e ouvir as explicações da senhora Novak sobre como regular o foco. Então, algo tão dramático aconteceu que modificou completamente minha vida: vi um protozoário. Fiquei hipnotizado. O barulho das outras crianças ficou distante e me senti sozinho na sala. Todo o meu ser pareceu mergulhar no mundo alienígena das células, algo que até hoje é mais interessante para mim do que qualquer filme feito por computador.

Na inocência de minha mente infantil, eu via aquele organismo não como uma célula, mas como uma pessoa em tamanho diminuto, um ser pensante e consciente. Para mim, ele não estava nadando a esmo, mas sim cumprindo uma missão, embora eu não soubesse como descrever isso tudo naquela época. Fiquei observando seus movimentos ao redor de um grupo de algas. Nesse instante, o grande pseudópodo de uma ameba desengonçada também começou a se mover.

Então, enquanto eu fazia minha viagem maravilhosa naquele mundo liliputiano[1], Glenn, o mais perverso de meus colegas de classe, me empurrou para descer da caixa e tomou meu lugar diante do microscópio. Tentei convencer a professora Novak a me deixar ver mais um pouco, mas a aula estava terminando e outros alunos também esperavam sua vez. Naquela tarde corri para casa e contei, esbaforido, minha descoberta à minha mãe. Usando todos os poderes de persuasão que a idade me permitia, implorei e a bajulei até conseguir que ela comprasse um microscópio para mim. Passava horas maravilhado com aquele mundo alienígena do outro lado da lente.

Mais tarde, na faculdade, passei a usar um microscópio eletrônico, mil vezes mais potente. A diferença é mais ou menos como a dos telescópios que os turistas usam para ver cenas da cidade do alto dos edifícios comerciais em relação aos do tipo Hubble, que transmitem imagens do espaço sideral. Entrar na ala de microscópios de um laboratório é como uma cerimônia iniciática para estudantes que aspiram a se tornar biólogos. O portal desse mundo maravilhoso é uma porta giratória preta como aquelas que isolam as salas escuras de revelação de filmes fotográficos.

Até hoje me lembro da primeira vez que passei por ela. Era uma divisória entre dois mundos: minha vida de estudante e meu futuro como cientista e pesquisador. Quando a porta terminou de girar, eu me vi em uma sala grande e escura, iluminada apenas por pequenas lâmpadas vermelhas de segurança. Enquanto meus olhos se adaptavam à escuridão, fiquei assombrado com o que vi. As luzes vermelhas

1. Relativo a Liliputе ou ao habitante desta ilha imaginária do romance *Viagens de Gulliver*, do escritor inglês Jonathan Swift (1667-1745), onde os habitantes medem apenas seis polegadas. Fonte: *Dicionário Houaiss da Língua Portuguesa*. (Nota do Editor)

refletiam a superfície espelhada de uma imensa coluna de aço inoxidável com lentes eletromagnéticas que subiam até o teto no centro da sala e na base da coluna havia um grande painel de controle que lembrava os de um Boeing 727, cheio de chaves, botões, medidores e luzes indicadoras. Na base também havia muitos fios, mangueiras e cabos de vácuo que se espalhavam como tentáculos ou como as raízes de uma árvore. O som das bombas de vácuo e de circuladores de água para refrigeração enchiam o ambiente. Tive a nítida impressão de estar entrando na sala de comando da nave *U.S.S. Enterprise*. Mas aparentemente aquele era o dia de folga do capitão Kirk, pois quem estava à frente dos comandos era um de meus professores, ocupado com o complexo processo de colocar uma amostra de tecido orgânico em uma câmara de vácuo no centro da coluna de metal.

Enquanto os minutos passavam, comecei a ter a mesma sensação que tive aos sete anos de idade, quando vi uma célula pela primeira vez. Finalmente, uma imagem verde fluorescente surgiu na tela. Mal se podia distinguir as manchas escuras do plasma. A imagem estava ampliada em 30 vezes seu tamanho original. O professor começou então a aumentar o tamanho, passo a passo: 100 vezes, 1.000 vezes, 10.000 vezes. Quando chegou ao ponto máximo sem distorção, o microscópio havia ampliado a imagem em 100.000 vezes. Era realmente uma cena de *Jornada nas estrelas*, mas em vez de viajarmos pelo espaço estávamos indo em direção ao microcosmo, onde "nenhum ser humano jamais esteve". Em um momento, estávamos observando uma célula em miniatura e, no momento seguinte, podíamos observar toda a sua arquitetura molecular.

A sensação que tive ao cruzar aquela barreira científica foi indescritível, principalmente porque fui convidado a ser co-piloto honorário naquele dia. Tive a honra de tocar os controles e "voar" sobre aquela paisagem alienígena celular. Meu professor foi meu guia turístico, indicando os pontos principais: "Aqui está uma mitocôndria, seu complexo golgiense ali um poro nuclear, uma molécula de colágeno e mais adiante um ribossomo".

A idéia de ser um pioneiro, aventurando-me por territórios jamais vistos por olhos humanos me fascinava. O microscópio simples despertou minha atenção para o mundo das células e de sua consciência, mas foi o microscópio eletrônico que me permitiu vislumbrar as moléculas que são a base da vida. Sentia que em algum lugar dentro daquela "citoarquitetura" da célula eu encontraria algo que me levaria a desvendar os grandes mistérios da existência.

Por um instante, aquelas lentes se transformaram em bolas de cristal e na tela fluorescente eu vi meu futuro. Senti que seria um biólogo celular e que iria pesquisar com detalhe todas as nuances da ultraestrutura celular para descobrir seus segredos. Afinal, estava aprendendo na própria faculdade que a estrutura e a função dos organismos biológicos estão intimamente ligadas. Tinha certeza de que, estudando mais profundamente a relação entre a anatomia e o comportamento das células, eu conseguiria entender seu mecanismo. Dediquei então todo o meu tempo livre durante a faculdade, mestrado e doutorado à pesquisa da anatomia molecular, pois ali estava a chave do que eu procurava.

Minha curiosidade sobre estes "segredos da vida" também me levou a pesquisar a clonagem de células humanas.

Dez anos após meu primeiro contato com um microscópio eletrônico, eu me tornara um membro do corpo docente da Escola de Medicina da Universidade de Wisconsin, internacionalmente

reconhecido por minhas pesquisas sobre clonagem de células-tronco e respeitado dentro da faculdade por minhas habilidades de professor. E utilizava microscópios eletrônicos ainda mais poderosos que me permitiam visualizar imagens tridimensionais de organismos vivos para observar bem de perto a base da vida. Embora as ferramentas agora fossem mais sofisticadas, meus objetivos ainda eram os mesmos. Jamais perdi a convicção adquirida aos sete anos de idade ao ver pela primeira vez a imagem de um protozoário em um microscópio. A vida das células tinha de ter um propósito.

A única coisa que permanecia sem propósito era minha vida pessoal. Não acreditava em Deus, embora deva confessar que quando imaginava a possibilidade de sua existência a figura que surgia em minha mente era sempre a de um grande e perverso controlador com senso de humor deturpado. Eu era, afinal, um biólogo tradicional, para quem a existência de Deus era uma questão totalmente irrisória. Considerava a vida mera conseqüência do acaso, como a sorte no jogo. As probabilidades dos resultados genéticos são as mesmas de um dado rolando sobre uma mesa. O lema de nossa profissão desde a época de Charles Darwin era: "Deus? Não precisamos de um Deus".

Não que Darwin negasse a Sua existência. Ele simplesmente afirmava que o acaso, e não a intervenção divina, é o verdadeiro responsável pela vida na Terra. Em seu livro *A origem das espécies*, publicado em 1859, Darwin afirma que as características individuais são passadas dos pais para os filhos e que estas são "fatores hereditários" que controlam a vida de todos nós. Essa afirmação levou os cientistas a uma busca frenética para dissecar todas as partes que compõem as moléculas em uma tentativa de decifrar os mecanismos hereditários responsáveis pela vida.

A pesquisa chegou ao fim 50 anos atrás, quando James Watson e Francis Crick descreveram a estrutura e a função da espiral dupla do DNA, o material do qual os genes são feitos. Os cientistas finalmente entendiam os "fatores hereditários" que Darwin mencionou em seus manuscritos no século 19. Os jornais anunciaram a nova engenharia genética, a promessa de bebês com características programadas e os medicamentos milagrosos. Até hoje me lembro das manchetes daquele dia memorável em 1953: "Descoberto o segredo da vida".

Os genes passaram então a ser a explicação para tudo e os mecanismos pelos quais o DNA controla a vida biológica se tornaram o dogma central da biologia molecular, descrito com detalhes em todos os livros e pesquisas. A longa discussão sobre as características que herdamos ou que adquirimos durante a vida acabou. Os cientistas estavam certos de que tudo é herdado de nossos pais. No início, pensavam que o DNA fosse responsável apenas por nossas características físicas. Com o tempo passaram a acreditar que nossos genes também controlavam nossas emoções e comportamento. Portanto, se alguém nascesse com um gene de felicidade defeituoso só poderia esperar ter uma vida infeliz.

Eu me considerava uma dessas pessoas; uma vítima da fatalidade de ter um gene de felicidade mutante ou mesmo ausente. Justamente nessa época estava passando por muitos problemas em minha vida. Meu pai estava morrendo após uma longa e dolorosa batalha contra o câncer. E como eu era o responsável por ele, passei os quatro últimos meses de sua vida viajando duas a três vezes por semana de Wisconsin para Nova York. Ao mesmo tempo, coordenava um programa de pesquisas, lecionava e escrevia a tese de renovação de meu título de mestrado no *National Institutes of Health.*

Para completar, estava em meio a um divórcio que me consumia emocional e financeiramente. Minhas economias se esvaíram rapidamente entre custas de advogados e pensão para meus dependentes. Acabei apenas com uma mala de roupas e morando em um apartamento alugado em um prédio que não recomendaria a meus piores inimigos. Tinha medo de meus vizinhos, especialmente o do apartamento ao lado. Na primeira semana após me mudar, a porta foi arrombada e meu aparelho de som desapareceu. Alguns dias depois, meu vizinho (de 1,90 m de altura e pelo menos 90 cm de largura) tocou a campainha com uma lata de cerveja em uma das mãos e palitando os dentes com a outra para me perguntar se eu tinha o manual de instruções do aparelho.

Mas o ponto alto foi quando atirei o telefone pela porta de vidro de meu escritório, despedaçando inclusive a placa de "Bruce H. Lipton, Professor Adjunto de Anatomia, Escola de Medicina da Universidade de Wisconsin", gritando "eu vou enlouquecer!" O ataque de nervos foi causado pelo telefonema de um gerente de banco que me explicou de maneira gentil, porém direta, que não poderia me conceder um empréstimo. Parecia uma cena do filme *Laços de ternura* em que Debra Winger responde ao marido: "Não temos dinheiro para pagar nossas contas agora. E, pelo jeito, não vamos ter nunca!"

A MAGIA DAS CÉLULAS – *DÉJÀ-VU*

Sem querer, acabei encontrando uma válvula de escape. Tirei licença de um ano e fui lecionar em uma universidade no Caribe. Claro, meus problemas não iriam desaparecer simplesmente pelo

fato de eu estar longe, mas quando o avião decolou de Chicago fiquei tão feliz que precisei me controlar para não gargalhar. Uma alegria imensa me invadiu e me senti como naquele dia, aos sete anos de idade, quando descobri o mundo mágico das células.

A felicidade aumentou ainda mais quando entrei no pequeno avião de seis passageiros que fez a ponte aérea até Monserrat, uma pequena e isolada ilha de apenas 19 quilômetros no meio do Mar do Caribe. Se o Jardim do Éden realmente existiu, com certeza era bem parecido com aquele lugar, um pedaço do paraíso circundado pelo imenso mar cristalino verde-azulado. Quando o avião pousou e a porta se abriu, fiquei embriagado pelo cheiro das flores de gardênia que veio com a brisa.

Os moradores da ilha tinham o hábito de interromper seus afazeres para observar o pôr-do-sol, um ato de contemplação tão relaxante do qual em poucos dias eu me tornei um adepto fiel. Às vezes mal podia esperar para assistir àquele maravilhoso show no final da tarde. Minha casa ficava em uma espécie de penhasco 1.500 metros acima do oceano, virada para o oeste e, seguindo uma pequena trilha, logo em frente eu podia descer até a água. Havia também uma pequena gruta com uma passagem cheia de árvores, plantas e flores que levava a uma praia deserta, onde eu iniciava o ritual de assistir ao pôr-do-sol mergulhando e deixando para trás todos os meus problemas diários. Depois me aconchegava na areia clara e macia para assistir ao espetáculo do sol desaparecendo lentamente mar adentro.

Ali, longe do estresse e da competição mercenária do mundo, comecei a ver a vida sem os bloqueios e as limitações das crenças dogmáticas da civilização. No início, não conseguia deixar de criticar

e lamentar o desastre que minha vida tinha sido até aquele momento. Mas aos poucos comecei a colocar de lado as batalhas internas e a rever com mais calma meus 40 anos de vida. Aprendi novamente a vivenciar o momento presente, exatamente como fazia quando criança. Reaprendi a sentir o prazer de estar vivo.

Acabei me tornando mais humano e humanitário naquela ilha paradisíaca. Também cresci como profissional. Quase toda a minha formação científica havia sido dentro de salas de aula, auditórios e laboratórios frios e estéreis. Meu contato com aquele ecossistema tão rico me fez ver a biologia como um sistema vivo e integrado, e não mais como um conjunto de espécimes dividindo espaço em um planeta.

Passeando pelas florestas e mergulhando entre os recifes de coral, pude observar de perto plantas e animais em seu *habitat* e perceber melhor sua interação. Existe um equilíbrio delicado e dinâmico entre todas as formas de vida e o ambiente. O que descobri nos Jardins do Éden do Caribe foi harmonia e não uma luta desesperada pela sobrevivência. Percebi que a biologia tradicional dá pouca ou nenhuma importância à questão da cooperação, pois a teoria de Darwin enfatiza apenas a natureza competitiva dos seres vivos.

Para o desgosto de meus colegas norte-americanos, retornei a Wisconsin protestando e argumentando contra todos os princípios e crenças da biologia tradicional. Criticava abertamente Charles Darwin e sua teoria da evolução. Os biólogos me viam como um padre que se volta contra o Vaticano e acusa o papa de ser impostor.

Todos pensaram que um coco havia caído em minha cabeça quando pedi demissão da universidade para seguir um sonho de minha vida: entrar para uma banda de rock e fazer uma turnê. Produzi um show de *laser* com Yanni, que havia se tornado uma celebridade no mundo musical. Mas logo percebi que tinha mais talento como professor e pesquisador do que como produtor de shows de rock. Entrei em crise, acabei desistindo do mundo da música e voltei ao Caribe para lecionar biologia celular.

Mas a fase final de minha vida acadêmica foi na Escola de Medicina da Universidade de Stanford, agora defendendo e propagando abertamente a "nova" biologia. Questionava não apenas Darwin e sua versão canibal da evolução, mas também o dogma central da biologia, segundo o qual os genes controlam a vida. Este dogma tem uma séria falha: os genes não ligam-desligam sozinhos. Ou, em termos mais técnicos, não são aquilo que chamamos de "auto-emergentes". É preciso que fatores externos do ambiente os influenciem para que entrem em atividade. Os biólogos já sabiam disto havia muito tempo, mas o fato de seguirem cegamente os dogmas da ciência os fazia ignorar esse conhecimento. Por isso, cada vez que eu me manifestava era duramente criticado por todos. Tornei-me um candidato à excomunhão; um bruxo para ser queimado na fogueira!

Na palestra que tive de apresentar durante o processo de entrevistas para a vaga de professor em Stanford, acusei todo o corpo docente, inclusive muitos dos renomados geneticistas ali presentes, de se comportarem exatamente como os fundamentalistas religiosos, aceitando o dogma central mesmo sabendo de todas as suas falhas. A platéia se alvoroçou, gritando e vociferando contra mim. Concluí que meu processo de entrevistas havia terminado. Mas, para minha surpresa, as pesquisas e descobertas que apresentei sobre a nova biologia os entusiasmaram a tal ponto que decidiram me contratar. Agora, finalmente, eu tinha o apoio dos grandes cientistas de Stanford,

principalmente o do diretor do Departamento de Patologia, para colocar em prática minhas idéias sobre a pesquisa de clonagem de células humanas. E para o espanto de todos, os resultados confirmaram as teorias e princípios que eu havia apresentado. Publiquei dois ensaios sobre minhas pesquisas e deixei então o mundo acadêmico, desta vez definitivamente (Lipton *et al.*, 1991, 1992).

Tomei a decisão de abandonar a carreira acadêmica porque, apesar de todo o apoio que recebia em Stanford, sentia que minhas teorias não tinham a atenção que mereciam. Mas, desde que deixei o cargo, novas pesquisas confirmam a todo instante meu ceticismo em relação ao dogma central e ao princípio de que o DNA é que controla a vida. Na verdade, a epigenética, que é o estudo dos mecanismos moleculares por meio dos quais o meio ambiente controla a atividade genética, é hoje uma das áreas mais atuantes da pesquisa científica em geral. O papel do meio ambiente no controle das atividades dos genes já era o foco de minhas pesquisas 20 anos atrás, antes mesmo de a ciência se interessar pelo assunto (Lipton, 1977a, 1977b). É gratificante saber que hoje mais pesquisadores se interessam por esta área. Mas tenho certeza de que, se estivesse lecionando em uma escola de medicina, meus colegas ainda imaginariam se um coco não caiu em minha cabeça enquanto eu estive no Caribe. Nestes últimos dez anos me tornei ainda mais radical em relação aos padrões acadêmicos e minha preocupação com a nova biologia hoje é muito mais que mero exercício intelectual. Acredito que as células podem nos ensinar muito não apenas sobre os mecanismos da vida, mas também como viver de maneira mais rica e completa.

Para os elevados padrões da ciência tradicional, o único prêmio que idéias como as minhas merecem é o de "cientista maluco".

O que muitos cientistas ainda consideram antropomorfismo, ou melhor, citopomorfismo, eu chamo de "biologia 101". Você pode se considerar um indivíduo, mas como biólogo celular eu lhe digo que você é uma grande comunidade cooperativa de aproximadamente 50 trilhões de células e que a maioria delas vive como amebas, ou seja, organismos que desenvolvem uma estratégia cooperativista para a sobrevivência de todos. Em termos mais simples: os seres humanos são meros resultados de uma "consciência amebóide coletiva". Assim como uma nação reflete as características de seus cidadãos, nossa condição humana reflete a natureza de nossa comunidade celular.

APRENDENDO COM AS CÉLULAS

Estudando essas comunidades celulares cheguei à conclusão de que não somos vítimas de nossos genes e sim donos de nosso próprio destino, capazes de criar uma vida cheia de paz, felicidade e amor. A primeira cobaia dessa teoria fui eu mesmo, pois as pessoas para quem eu dava palestras sempre me perguntavam por que minhas descobertas não tinham me transformado em uma pessoa mais feliz. E estavam certas. Eu tinha de colocar em prática meus próprios ensinamentos. Só percebi que isso estava acontecendo algum tempo depois, quando estava tomando café em uma lanchonete numa bela manhã de domingo. A garçonete comentou enquanto trazia meu pedido: "Puxa, você é a pessoa mais feliz que eu já vi. O que aconteceu de tão bom em sua vida para você ficar assim?" Quase caí da cadeira tão grande foi minha surpresa, mas respondi sem pensar: "Estou nas nuvens!" A garçonete balançou a

cabeça e saiu murmurando "cada maluco que aparece por aqui...". Mas era verdade. Eu estava muito feliz, como jamais havia estado em minha vida.

Muitos leitores vão achar exagerado meu conceito de que a Terra é o paraíso, pois a associação mais comum que fazemos de paraíso é a de moradia da divindade e/ou dos que já morreram. Como alguém pode dizer então que uma cidade como Nova Orleans é uma extensão do paraíso? Suas ruas estão cheia de homens, mulheres e crianças vivendo como mendigos; o ar é tão poluído que nem se pode ver as estrelas no céu à noite. A água de seus rios é tão suja que somente formas de vida "estranhas" podem existir ali. Como chamar um lugar desses de paraíso? Como uma divindade pode viver em uma cidade assim? E o que este autor maluco chama de divindade? Será que ele conhece alguma pessoalmente?

A resposta para essas perguntas é: sim, acredito que vivemos no paraíso. Devo confessar que não conheço todas as divindades pessoalmente, pois não conheço todos os seres humanos. Afinal, são mais de seis bilhões! Também não conheço todos os membros dos reinos animal e vegetal. Mas sei que todos vocês fazem parte de um único ser: Deus.

Como disse Tim Taylor no seriado "*Tool time*": "Espera aí! Ele está dizendo que os seres humanos são Deus?"

Sim... mas não sou o primeiro a fazer esse tipo de afirmação. Está escrito no Gênese que somos feitos à imagem e semelhança de Deus. Ninguém diria que um cientista tão racional quanto eu acabaria citando mestres como Jesus, Buda ou Rumi ou que minha visão reducionista da vida acabaria dando lugar à espiritualidade. Mas se somos realmente a imagem de Deus precisamos colocar novamente o espírito na equação quando se trata de melhorar nossa saúde física e mental.

Outro aspecto a ser revisto quando se trata de seres humanos é que não somos meras máquinas bioquímicas que podem recuperar o equilíbrio físico e mental simplesmente tomando medicamentos. Remédios e cirurgias são ferramentas muito eficazes desde que utilizados com cautela. O conceito de que podem resolver todos os problemas está errado. Cada vez que um medicamento é introduzido no organismo para corrigir um problema "A" acaba inevitavelmente causando um problema "B", "C" ou "D". E também não são os hormônios e neurotransmissores, controlados pelos genes, que dirigem nossa mente, nosso corpo e nossa vida, mas sim nossas crenças... Sim, homens de pouca fé! São nossas crenças que comandam nossa existência.

A MENTE CONSCIENTE ESTÁ MUITO ALÉM DA MERA PROGRAMAÇÃO GENÉTICA

Ao escrever este livro, sinto-me como se estivesse desenhando uma linha na areia, que divide a história da humanidade. De um lado está o neodarwinismo, que dispõe a vida como uma eterna batalha entre robôs bioquímicos, e do outro está a "nova biologia", que a considera uma jornada de cooperação entre indivíduos de vontade própria que podem se programar para criar uma existência cheia de felicidade. Ao cruzar essa linha, passamos a entender claramente os conceitos da nova biologia, encerrando definitivamente a polêmica sobre aquilo que é natural em nós ou que herdamos de nossos pais. Percebemos que a mente consciente está muito além da

mera programação genética. Creio que neste momento vivenciamos uma mudança profunda e pragmática em nosso modo de ver a vida, algo semelhante ao que aconteceu quando o conceito de que a Terra era redonda substituiu todas as crenças da época.

Aos leigos que estiverem preocupados imaginando que este livro é muito técnico, aviso que podem ficar tranqüilos. Mesmo em minha fase mais acadêmica, quando vivia de terno e gravata em intermináveis reuniões, jamais deixei de fazer algo que adoro: lecionar. E minha fase pós-acadêmica me permitiu colocar em prática toda a minha experiência de professor, pois viajei pelo mundo apresentando os princípios da nova biologia a centenas de pessoas. Tive de adaptar meu conhecimento acadêmico e utilizar uma linguagem acessível a todos com exemplos e ilustrações muito claros. São os que utilizei neste livro.

O Capítulo 1 é sobre a "inteligência" das células e quanto elas podem nos ensinar a respeito de nossa mente e de nosso corpo. O Capítulo 2 mostra as evidências científicas de que os genes não controlam os seres vivos e apresenta as fantásticas descobertas da epigenética, um novo campo da biologia que desvenda os mistérios de como o ambiente (natureza) pode influenciar o comportamento das células sem modificar o código genético. É uma nova face da ciência, que revela mais detalhes sobre o complexo sistema e estrutura das doenças, incluindo o câncer e a esquizofrenia.

O Capítulo 3 é sobre a membrana ou "pele" das células. Você já deve ter ouvido falar que o núcleo das células contém DNA, mas talvez ainda não saiba sobre a membrana que as reveste. A ciência hoje pesquisa e revela detalhes sobre algo que eu já havia concluído 20 anos atrás: que a membrana é o verdadeiro cérebro

de toda a atividade celular. O Capítulo 4 trata das descobertas da física quântica e seu impacto sobre a compreensão e o tratamento das doenças. Mas, infelizmente, a medicina tradicional ainda não a incorporou às suas pesquisas ou mesmo à sua formação acadêmica, o que representa grandes perdas tanto para a ciência quanto para a humanidade.

No Capítulo 5, explico por que dei a este livro o nome de *A biologia da crença*. Os pensamentos positivos têm um efeito profundo sobre nosso comportamento e sobre nossos genes, mas somente se estiverem em harmonia com nossa programação subconsciente e o mesmo vale para os pensamentos negativos. Quando entendemos como as crenças positivas e negativas controlam nossa vida, podemos modificar esses padrões e passar a ter mais saúde e felicidade. O Capítulo 6 mostra que tanto as células quanto as pessoas precisam crescer e se desenvolver e como o medo pode impedir esse processo.

O Capítulo 7 é sobre a paternidade consciente. Como pais, precisamos entender o papel que desempenhamos na programação das crenças de nossos filhos e o impacto destas crenças em sua vida. Recomendo a leitura deste capítulo mesmo a quem não tem filhos, pois um dia todos fomos crianças e entender esse mecanismo é crucial mesmo agora que somos adultos. No Epílogo, explico como a nova biologia me fez perceber a importância da integração espírito-ciência e como isso modificou radicalmente a visão agnóstica e científica que eu tinha a respeito do mundo.

Você está pronto para usar sua mente consciente e ter mais saúde, felicidade e amor sem a necessidade de recursos da engenharia genética ou de medicamentos? Está pronto para abrir sua mente a uma realidade diferente daquela que foi criada pelos

modelos médicos, considerando o corpo humano uma simples máquina bioquímica? Não se preocupe. Não estou apresentando um produto novo ou uma nova religião. É apenas um convite para que você deixe de lado por alguns instantes todas as crenças impostas pela mídia e pela ciência tradicional para vislumbrar o universo que se abre à sua frente com as descobertas da nova ciência.

CAPÍTULO UM

LIÇÕES DA PLACA DE PETRI[2]: A INTELIGÊNCIA DAS CÉLULAS E DOS ALUNOS

PROBLEMAS NO PARAÍSO

Em meu segundo dia no Caribe conheci meus alunos, cem ansiosos estudantes de medicina, e percebi que nem todas as pessoas viam aquela ilha como eu, um refúgio pacífico e tranqüilo no meio do oceano. Para aqueles estudantes, Monserrat era a última chance de transformar o sonho de se tornarem médicos em realidade.

Eram quase todos norte-americanos, da costa leste, com idade e etnia variadas. Um deles, aposentado e com 67 anos de idade, estava ansioso para aprender coisas novas. A formação deles também era bem heterogênea: a maioria tinha cursado apenas o colegial, mas também havia professores, contadores, músicos, uma enfermeira e até um contrabandista.

Apesar de todas as diferenças, tinham duas características em comum. A primeira é que haviam sido eliminados pelo competitivo processo seletivo das escolas de medicina dos Estados Unidos. A segunda era que tinham intenção real de se tornarem médicos e

2. Recipiente circular raso, de vidro ou plástico, usado para fazer cultura de microorganismos. (Nota da Tradutora)

não desperdiçariam aquela chance de obter seu diploma. A maioria tinha economizado durante anos para pagar aquele curso e as despesas de morar em um país estrangeiro. Muitos estavam se aventurando sozinhos fora de casa pela primeira vez, longe da família e dos amigos, e também boa parte vivia em condições precárias naquele *campus*. Mas, apesar de todos os obstáculos e contratempos, nada os fazia mudar de idéia. Estavam decididos a se tornarem médicos. Pelo menos era o que parecia quando iniciaram o curso.

Antes de mim tinham tido três professores de histologia/biologia celular. O primeiro abandonou os alunos porque teve de resolver problemas pessoais e simplesmente foi embora três semanas depois de se iniciarem as aulas. A diretoria encontrou outro para substituí-lo, mas este também não pôde continuar porque ficou doente. Para que os alunos não ficassem sem aulas, um professor de outra matéria lia com eles trechos dos livros em sala de aula. Claro, isso não era produtivo e só os entediava, mas pelo menos fazia com que cumprissem a carga horária de palestras, um pré-requisito das bancas examinadoras para a prática da medicina nos Estados Unidos.

Então, pela quarta vez no mesmo semestre, os alunos tinham um novo professor. No primeiro dia, falei rapidamente sobre minha formação acadêmica e minhas expectativas para o curso. Deixei bem claro que, mesmo estando em um país estrangeiro, meu nível de exigência para com eles seria o mesmo que tinha para com meus alunos em Wisconsin. Teriam de passar pela mesma bancada acadêmica, não importava onde estivessem estudando. Tirei então uma pilha de exames de minha pasta e distribuí entre eles, explicando que se tratava de um teste de conhecimentos gerais. Já estávamos no meio do semestre e por isso deveriam ter base suficiente para

fazê-lo. Eram 20 questões de um teste de histologia do primeiro trimestre da Universidade de Wisconsin.

Durante os primeiros dez minutos de prova a sala ficou em silêncio mortal. Depois, alguns alunos começaram a suar e a bufar, e o desespero se espalhou pela sala mais rápido do que o vírus ebola. Ao final dos 20 minutos de prazo que eu havia estipulado, todos estavam em pânico. Quando disse "tempo esgotado" houve uma chuva de gemidos e reclamações. A pontuação mais alta foi de dez respostas corretas. A maioria não acertou mais de sete. E o resto acertou duas ou três por mera sorte.

Todos me olhavam chocados. Perceberam claramente o que os esperava. Metade do semestre havia se passado, mas teriam de recomeçar tudo outra vez, desde o início. Como a maioria ali já tinha sido reprovada em outros cursos, conhecia bem o protocolo. Seus olhares pareciam os daqueles filhotes de foca prestes a serem abatidos que vemos nas fotos do Greenpeace.

Meu coração disparou. Imaginei que provavelmente a maresia e o ar daquela ilha estivessem me tornando um pouco mais generoso. Sem pensar duas vezes, disse a eles que faria tudo o que estivesse ao meu alcance para que estivessem preparados para os exames finais, desde que também se esforçassem para isso. Percebendo minha sinceridade, eles pareceram se acalmar um pouco.

Sentia-me como um treinador preparando o time para a disputa final. Expliquei a eles que não eram menos inteligentes que os alunos que tive nos Estados Unidos. A única diferença era que ainda não estavam, como eles, acostumados a estudar muitas horas por dia e a memorizar grandes quantidades de material em pouco tempo, uma característica essencial para alunos de faculdade.

Expliquei também que histologia e biologia celular não são cursos de teoria muito complexa. A natureza segue princípios muito simples, fáceis de assimilar. Prometi que, em vez de pedir que memorizassem tudo, explicaria passo a passo o funcionamento das células para que entendessem os princípios básicos e complementaria a prática de laboratório com palestras sobre teoria no período da noite. Pareceram mais animados após essa explicação e saíram da sala determinados a não deixar que mais aquele obstáculo os impedisse de atingir seus objetivos.

Quando todos saíram e parei para pensar no tamanho da responsabilidade que havia assumido, meu ânimo diminuiu. A maioria daqueles alunos não tinha conhecimento prévio suficiente para um curso de medicina, mesmo os mais capacitados. Percebi que a experiência acadêmica naquela ilha poderia acabar sendo uma grande perda de tempo e desperdício de esforços tanto para mim quanto para eles. Comecei a achar que lecionar em Wisconsin era bem mais fácil. Eu dava apenas oito das cinqüenta aulas do curso de histologia/biologia celular. O corpo acadêmico era bem maior e havia vários professores para cada matéria. Claro, tinha de conhecer o conteúdo de todas elas, pois também era responsável pelo acompanhamento das aulas de laboratório e respondia às questões dos alunos. Mas conhecer a matéria e ter de apresentar todo o conteúdo não é a mesma coisa!

Tinha a sexta-feira e o final de semana para pensar na situação. Se isso tivesse acontecido na época em que eu estava em Wisconsin, provavelmente teria recusado o convite para lecionar a matéria. Mas quando me sentei naquela tarde perto da piscina, para assistir ao maravilhoso pôr-do-sol do Caribe, minha angústia se transformou em alegria. Fiquei contente porque, afinal, pela primeira vez em toda a minha carreira de professor, seria responsável por todas as matérias do curso de biologia, sem ter de me adaptar ao estilo ou às restrições de um corpo acadêmico.

AS CÉLULAS SÃO SERES HUMANOS EM MINIATURA

Ao contrário das expectativas, aquele curso de histologia acabou sendo o mais estimulante e intelectualmente profundo de minha carreira acadêmica. Como tinha liberdade para desenvolver o conteúdo da maneira que desejasse, resolvi colocar em prática uma técnica que tinha em mente havia anos. Sempre achei que comparar as células a "seres humanos em miniatura" poderia facilitar muito a compreensão dos alunos sobre sua fisiologia e comportamento. Montei então um esboço do curso com base nessa idéia e o resultado pareceu bem interessante. Muito provavelmente despertaria em meus alunos o mesmo entusiasmo que eu tinha em relação à ciência quando criança. Apesar de não gostar do aspecto burocrático da vida acadêmica, com todas aquelas reuniões e festas chatas, toda vez que entrava em um laboratório para fazer pesquisas me sentia exatamente como aos sete anos de idade, feliz e entusiasmado.

A idéia de comparar células a seres humanos se desenvolvia cada vez mais em minha mente, pois após tantos anos observando-as por meio do microscópio, sentia-me como um grão de areia diante de uma forma de vida tão complexa e imponente, embora anatomicamente simples, exatamente como uma placa de Petri. Você provavelmente aprendeu na escola alguns conceitos básicos sobre os componentes de uma célula: o núcleo, que contém material genético, a mitocôndria, que produz energia, a membrana que a reveste e o citoplasma, que fica entre eles. Mas dentro de cada uma dessas partes aparentemente tão simples há um vasto universo. A estrutura das células envolve tecnologia tão avançada que os cientistas ainda não conseguem compreendê-la totalmente.

Minha técnica de compará-las a seres humanos certamente pareceria heresia para a maioria dos biólogos. Tentar explicar a natureza de um ser não humano utilizando como referência o comportamento humano é chamado antropomorfismo. Os "verdadeiros" cientistas consideram o antropomorfismo um verdadeiro pecado mortal e criticam os cientistas que o utilizam.

Mas naquele momento eu tinha um bom motivo para quebrar as regras. Os biólogos estudam e compreendem os processos da natureza por meio da observação e do desenvolvimento de hipóteses sobre seu funcionamento e, para se certificar de que estão no caminho certo, realizam experiências. Portanto, criar hipóteses e experiências requer mecanismos de "raciocínio" sobre como as células ou outros organismos vivem. O que os cientistas ainda não perceberam é que, a partir do momento que aplicam soluções e pontos de vista "humanos" para desvendar os mistérios da vida estão praticando antropomorfismo. Não importa quanto se discuta o assunto, a ciência e a biologia possuem características humanas.

Pessoalmente, acredito que a crítica ao antropomorfismo ainda seja remanescente da Idade Média, quando os líderes religiosos negavam qualquer relação entre os seres humanos e as outras espécies criadas por Deus. Entendo que é um exagero comparar objetos como lâmpadas, rádios ou ferramentas a seres humanos, mas não vejo problema quando se trata de organismos vivos. Somos todos

organismos multicelulares e, portanto, temos muito em comum em termos de comportamento, se comparados às nossas células.

Também entendo que é necessário um tipo diferente de percepção quando se trata de estabelecer paralelos desse tipo. Historicamente, nossas crenças judaico-cristãs nos levaram a acreditar que nós somos seres inteligentes e criados por meio de um processo diferente e totalmente distinto daqueles utilizados para plantas e animais. Isso nos faz sentir superiores em relação a todas as formas de vida menos inteligentes, especialmente os organismos que se encontram em posições menos elevadas da cadeia evolutiva.

Mas esse conceito está totalmente fora da realidade. Quando observamos outros seres humanos como entidades individuais ou consideramos nós mesmos organismos únicos ao vermos nossa imagem refletida em um espelho, estamos corretos de certa forma, ao menos em nível de observação. Mas quando nos reduzimos ao tamanho de uma célula para analisar nosso próprio corpo sob a perspectiva celular passamos a ver o mundo sob uma nova perspectiva. Não nos vemos mais como uma entidade única e sim como uma comunidade de mais de 50 trilhões de células.

Enquanto preparava minhas aulas para aquele novo curso, uma enciclopédia que eu usava quando criança me vinha à mente com freqüência. A parte de ciências tinha uma ilustração de sete páginas transparentes e sobrepostas mostrando o corpo humano em detalhes. A primeira mostrava a figura de um homem nu. A segunda mostrava o mesmo corpo, porém sem a pele, com os detalhes da musculatura. A cada página viam-se detalhes diferentes, como o esqueleto, o cérebro, a estrutura nervosa, as veias e os órgãos internos.

Adaptei a idéia ao meu curso no Caribe e imaginei as mesmas transparências mostrando a estrutura celular. A maior parte dos componentes da estrutura de uma célula é chamada de organela, seus "órgãos em miniatura" que ficam dentro de uma substância gelatinosa chamada citoplasma. As organelas equivalem aos tecidos e órgãos do corpo humano. Possuem um núcleo, que é sua maior organela, uma mitocôndria e o complexo golgiense, além de vacúolos. Os cursos tradicionais apresentam primeiro essa estrutura celular; depois passam aos tecidos e órgãos do corpo humano, mas fiz algo diferente: integrei as duas partes do curso mostrando as semelhanças entre os corpos humano e celular.

Ensinei a meus alunos que os mecanismos bioquímicos utilizados pelos sistemas de organela celular são basicamente os mesmos utilizados por nosso corpo. Embora sejamos compostos de trilhões de células, enfatizei que não há sequer uma "nova" função em nossos corpos que não esteja presente também nos das células. Cada célula eucariótica, isto é, que contém um núcleo, possui uma estrutura funcional equivalente aos nossos sistemas nervoso, digestivo, respiratório, excretor, endocrinológico, muscular, esquelético, circulatório, tegumentar (pele), reprodutivo e até mesmo algo parecido com nosso sistema imunológico porém mais primitivo, que utiliza uma família de proteínas semelhantes a anticorpos do tipo "ubiquitina".

Expliquei também que cada célula é um ser inteligente e que sobrevive por conta própria, algo que os cientistas já demonstraram retirando células individuais do corpo para mantê-las em cultura separada. Assim como eu havia descoberto intuitivamente durante minha infância, essas células inteligentes têm vontade própria e um propósito de vida. Procuram ambientes que sejam adequados à sua

sobrevivência e evitam todos os que possam ser tóxicos e/ou hostis. Da mesma maneira que nós, humanos, fazemos, analisam as centenas de estímulos que recebem do microambiente que habitam para selecionar as respostas comportamentais mais adequadas e garantir sua sobrevivência.

As células também são capazes de aprender com as experiências que vivenciam em seu ambiente e de criar uma espécie de memória que é passada aos seus descendentes. Por exemplo: quando o vírus do sarampo infecta uma criança, suas células ainda não amadurecidas são colocadas em ação para criar um anticorpo de proteína protetor e combatê-lo. Nesse processo, as células criam um novo gene que servirá de padrão para a fabricação de anticorpos contra o sarampo.

O primeiro passo para gerar um gene de anticorpos ocorre no núcleo das células imunológicas imaturas. Em seus próprios genes há um grande número de segmentos de DNA que contêm códigos de fragmentos moldados de proteínas. Recombinando e montando aleatoriamente esses segmentos, as células imunes criam uma vasta gama de genes que formam uma proteína única de anticorpos. Então, quando uma célula imune imatura produz uma proteína de anticorpos que seja um complemento físico "semelhante" ao do vírus do sarampo, aquela célula é ativada.

Células ativadas utilizam um mecanismo muito interessante chamado "maturação de afinidade", que lhes permite "ajustar" de maneira muito precisa o formato de sua proteína de anticorpos, para que ela seja um complemento perfeito para vírus como o do sarampo (Li *et al.*, 2003; Adams *et al.*, 2003). Por meio de um processo chamado "hipermutação somática", as células imunes ativadas fabricam centenas de cópias de seu gene de anticorpo. Mas cada nova versão do gene é levemente modificada e contém um formato diferente da proteína de anticorpo. A célula seleciona a variante de genes que melhor se adapta àquela necessidade de anticorpos. Essa versão selecionada do gene também passa por vários ciclos de hipermutação somática para que a forma do anticorpo seja esculpida a ponto de se tornar o complemento físico "perfeito" do vírus (Wu *et al.*, 2003; Blanden e Steele, 1998; Diza e Casali, 2002; Gearhart, 2002).

Quando o anticorpo esculpido se une ao vírus, desabilita-o e o marca para ser destruído, protegendo a criança do sarampo. As células criam então um "arquivo" das informações genéticas desse anticorpo para que todas as vezes que o organismo for invadido pelo vírus do sarampo elas possam responder imediatamente. O novo gene de anticorpos também pode ser passado a todas as novas gerações em seu processo de divisão. Assim, elas não apenas "aprendem" sobre o vírus do sarampo como criam um "arquivo" a ser herdado e propagado entre a sua prole. Este magnífico processo de engenharia genética é de extrema importância, pois representa um mecanismo de "inteligência" inata que permite às células se desenvolver (Steele *et al.*, 1998).

AS ORIGENS DA VIDA: CÉLULAS INTELIGENTES SE TORNAM CADA VEZ MAIS INTELIGENTES

Não deveria ser uma surpresa para nós o fato de as células serem tão inteligentes. Os organismos unicelulares foram a primeira forma de vida deste planeta. Somente 600 milhões de anos mais tarde, de acordo com análises, é que os fósseis surgiram na Terra. Ou seja, durante 2,75 bilhões de anos da história da Terra os únicos

habitantes vivos foram os organismos unicelulares como bactérias, algas e protozoários semelhantes a amebas.

Então, há 750 milhões de anos, esses organismos descobriram como evoluir e se tornar ainda mais inteligentes: surgiram os primeiros organismos multicelulares (plantas e animais). No início eram apenas comunidades esparsas ou "colônias" de organismos unicelulares, constituídas de centenas de células. Mas as vantagens evolucionárias de viver em comunidade fizeram com que, em pouco tempo, as colônias se transformassem em organizações de milhões, bilhões ou mesmo trilhões de células individuais interagindo entre si. Embora cada célula tenha dimensões microscópicas, o tamanho dessas comunidades pode variar de algo minúsculo, mas visível, a uma estrutura monolítica. Os biólogos classificam essas comunidades de acordo com sua estrutura observada pelo olho humano. Embora pareçam ser entidades únicas (como um rato, um cão ou um ser humano) são, na verdade, associações organizadas de milhões e trilhões de células.

A exigência evolucionária de que fossem criadas mais comunidades celulares é meramente um reflexo da imperiosa necessidade biológica de sobrevivência. Quanto mais consciência um organismo tem do ambiente que o cerca, melhores são suas chances de sobreviver. Quando as células se agrupam, aumentam exponencialmente sua consciência do meio ambiente. Assim, se para cada uma delas dermos um valor X, toda colônia de organismos terá uma consciência potencial de pelo menos X vezes o número de células que a compõem.

Para sobreviver em densidade tão alta, as células tiveram de criar ambientes estruturais próprios. Essas sofisticadas comunidades subdividem sua carga de trabalho com mais precisão e eficácia que nossas maiores empresas e corporações mundiais. O método mais eficiente ainda é ter indivíduos especializados para cada tarefa. No desenvolvimento dos animais e das plantas, as células adquirem as funções específicas ainda na fase embrionária. O processo de especialização citológica permite que se desenvolvam determinados tecidos e órgãos do corpo. Com o passar do tempo, esse padrão de "diferenciação", como o da distribuição da carga de trabalho entre os membros da comunidade, por exemplo, passa a fazer parte dos genes de cada célula da comunidade, aumentando a eficácia do organismo e sua habilidade de sobreviver.

Em organismos maiores, apenas uma pequena porcentagem das células é responsável pela leitura e resposta aos estímulos do ambiente. Esse papel é desenvolvido por grupos de células especializadas que formam os tecidos e órgãos do sistema nervoso. A função do sistema nervoso é captar as informações do ambiente e coordenar o comportamento de todas as outras células em sua vasta comunidade.

A divisão de trabalho entre as células oferece ainda outra vantagem quando se trata de sobrevivência: reduz sua longevidade. Um indivíduo consome menos que dois. Se compararmos, por exemplo, o custo da construção de apartamentos de dois dormitórios ao de apartamentos de apenas um dormitório haverá uma grande diferença, especialmente quando se trata de condomínios grandes, de 100 unidades. Para sobreviver, as células consomem certa quantidade de energia. Portanto, quanto menos for gasto, maiores serão as chances de sobrevivência do grupo e melhor será sua qualidade de vida.

Henry Ford analisou as vantagens técnicas do esforço conjunto e as utilizou para criar o conceito de linha de montagem para a fabricação de carros. Antes de Ford, uma equipe de funcionários

levava de uma a duas semanas para produzir um único automóvel. Ele organizou sua fábrica de modo que cada funcionário fosse responsável por uma tarefa específica. Posicionou todos em fila na esteira de produção e foi passando as peças de um especialista para o outro. O conceito de especialização de tarefas se mostrou tão eficaz que a indústria de Ford conseguia produzir um automóvel em apenas 90 minutos.

Mas, infelizmente, "nos esquecemos" desse conceito de cooperação, tão necessário para a evolução, quando Charles Darwin propôs uma teoria radicalmente diferente sobre o surgimento da vida. Há 150 anos ele chegou à conclusão de que os organismos vivem em uma perpétua "luta pela sobrevivência". Para Darwin, luta e violência são partes naturais da natureza animal (humana) e também a "força básica" do desenvolvimento evolucionário. No capítulo final de A *origem das espécies por meio da seleção natural ou a preservação das raças favorecidas na luta pela vida*, Darwin descreve aquilo que chama de "inevitável luta pela sobrevivência" e enfatiza que a evolução se dá pela "guerra da natureza, da escassez à morte". Portanto, a partir dessa teoria, a evolução se dá de maneira aleatória e temos um mundo cheio de pequenas batalhas sangrentas e sem sentido em nome da sobrevivência ou, segundo a descrição poética de Tennyson, "nas mandíbulas da morte".

A EVOLUÇÃO SEM AS MANDÍBULAS DA MORTE

Embora Darwin tenha sido o mais famoso dos evolucionistas, o primeiro cientista a estabelecer a evolução como um fato foi o grande biólogo francês Jean-Baptiste de Lamarck (Lamarck, 1809,

1914, 1963). Até mesmo Ernst Mayr, o arquiteto do neodarwinismo (uma versão moderna da teoria de Darwin, que incorpora a genética molecular do século 20), concorda que Lamarck foi de fato o pioneiro na área. Em seu clássico de 1970, *Evolution and the diversity of life* (Mayr, 1976, p. 227) [A evolução e a diversidade da vida], ele declara: "A mim parece que Lamarck tem um bom motivo para ser denominado 'fundador da teoria da evolução', e assim é chamado por diversos historiadores franceses... ele foi, de fato, o primeiro autor a dedicar um livro inteiro à apresentação de uma teoria de evolução orgânica. E foi o primeiro a apresentar todo o sistema de animais como produto da evolução".

Lamarck não apenas apresentou sua teoria 50 anos antes de Darwin, como ofereceu uma explicação menos drástica para os mecanismos da evolução. Sua teoria diz que a evolução está baseada em uma interação cooperativa entre os organismos e seu meio ambiente, que lhes permite sobreviver e evoluir em um mundo dinâmico. Afirmava que os organismos passam por adaptações necessárias à sua sobrevivência em um ambiente que se modifica constantemente. O mais interessante é que a hipótese de Lamarck sobre os mecanismos da evolução se ajusta muito bem à explicação dos biólogos modernos sobre como o sistema imunológico se adapta ao meio ambiente da mesma maneira que descrevi acima.

A teoria de Lamarck foi duramente criticada pela Igreja. O conceito de que os seres humanos evoluíram a partir de formas de vida mais primitivas foi considerado heresia. Lamarck também não recebeu o apoio de seus colegas cientistas. Como eram todos criacionistas, ridicularizaram suas idéias. Um biólogo de desenvolvimento alemão, August Weismann, foi ainda mais longe quando fez testes para provar que, ao contrário do que Lamarck dizia, os organismos não transmitem traços ou aprendizado sobre sobrevivência adquiridos em sua interação com o ambiente. Em uma de suas experiências, cortou a cauda de um casal de ratos e os colocou juntos para que procriassem. Dizia que, se a teoria de Lamarck estivesse correta, os pais transmitiriam à prole a ausência de cauda. Mas os filhotes nasceram com cauda normal. Weismann repetiu então a experiência com 21 gerações, mas nenhum filhote nasceu sem cauda, o que o levou a concluir que a teoria de Lamarck estava errada.

A experiência de Weismann, porém, não testava realmente a teoria de Lamarck. Sua hipótese era que as mudanças evolucionárias levam "imensos períodos de tempo", nas palavras do biógrafo L. J. Jordanova. Em 1984, Jordanova escreveu um artigo mostrando que a teoria de Lamarck "era fundamentada" em uma série de "proposições", incluindo: "... as leis que governam organismos vivos produziram formas muito complexas em imensos períodos de tempo" (Jordanova, 1984, p. 71). A experiência de Weismann, que durou cinco anos, obviamente não era suficiente para testar a teoria. Outra falha na experiência é que Lamarck jamais afirmou que todas as mudanças em um organismo seriam transmitidas a seus descendentes. Segundo sua teoria, os organismos adquiriam traços (como mudanças em formato ou tamanho da cauda) quando se tratava de mudanças necessárias à sua sobrevivência. Embora Weismann pensasse que os ratos não precisavam de sua cauda ninguém perguntou a eles qual era sua função para a sobrevivência da espécie!

Apesar de todas as falhas, o estudo dos ratos sem cauda ajudou a destruir a reputação de Lamarck, que acabou sendo ignorado. O evolucionista C. H. Waddington, da Universidade de Cornell, escreveu em *The evolution of an evolutionist* (Waddington, 1975, p. 38) [A evolução de um evolucionista]: "Lamarck foi o único na história da biologia a ter o nome ridicularizado e a sofrer abusos por suas teorias. A maioria dos cientistas que propõem novas teorias acaba se tornando ultrapassada, mas poucos autores tiveram seu trabalho tão criticado e rejeitado mesmo dois séculos depois, a ponto de os céticos acreditarem que ele tinha a mente perturbada. É preciso admitir que Lamarck foi julgado injustamente".

Waddington escreveu estas palavras 30 anos atrás. Hoje, a teoria de Lamarck está sendo reavaliada sob a perspectiva da nova ciência, que não considera totalmente erradas as suas idéias nem totalmente corretas as de Darwin. A manchete de um artigo do famoso periódico *Science* em 2000 já indicava grandes mudanças: "Será que Lamarck estava totalmente enganado?" (Balter, 2000).

Um motivo para os cientistas reverem a teoria de Lamarck é que os evolucionistas levam em consideração a grande importância da cooperação na manutenção da vida na biosfera. Inúmeras experiências científicas já mostraram as relações simbióticas da natureza. Em *Darwin's blind spot* (Ryan, 2002, p. 16) [O ponto negro de Darwin], o físico inglês Frank Ryan narra uma série de relações, incluindo a de um camarão amarelo que agarra a comida enquanto seu parceiro, um peixe-gobi, o protege de seus predadores e o de uma espécie de caranguejo que carrega uma anêmona rosa sobre sua casca. "Peixes e polvos se alimentam de caranguejos, mas os desta espécie têm um sistema de defesa a mais. Quando predadores em potencial se aproximam, a anêmona abre seus tentáculos coloridos e brilhantes, lançando dardos envenenados em sua direção. Eles rapidamente se afastam e vão procurar alimentos em outro

lugar" e a brava anêmona se beneficia com esta parceria, pois fica com todos os restos dos alimentos do caranguejo.

Mas o conceito de cooperação na natureza vai muito além desses exemplos simples. "Os biólogos estão descobrindo cada vez mais associações entre animais que evoluíram paralelamente e continuam a coexistir, desenvolvendo em seu interior microorganismos que são necessários para a sua saúde e desenvolvimento". Isso é descrito em um artigo recente da *Science*, chamado "Sobrevivemos com a ajuda de nossos (pequenos) amigos" (Ruby *et al.*, 2004). O estudo desses relacionamentos é um ramo da ciência que hoje está se expandindo rapidamente, chamado "Biologia de sistemas".

O mais engraçado é que nas últimas décadas aprendemos a combater os microorganismos usando os mais diferentes produtos químicos, de sabão antibacteriano a antibióticos. Mas essa prática simplista ignora o fato de que diversas bactérias são essenciais para a nossa saúde. Um exemplo clássico de como os seres humanos se beneficiam dos microorganismos é o das bactérias presentes em nosso sistema digestivo, essenciais para a nossa sobrevivência. Agindo em nosso estômago e trato intestinal, elas ajudam a digerir os alimentos e permitem a absorção das vitaminas que mantêm nossa saúde. Esta cooperação entre micróbios e humanos é o motivo pelo qual o uso desenfreado de antibióticos pode comprometer a sobrevivência de nossa espécie. Esses medicamentos eliminam microorganismos nocivos ao nosso organismo, mas também matam indiscriminadamente aqueles que são essenciais para a nossa saúde.

Estudos recentes da ciência do genoma revelam mais um tipo de mecanismo de cooperação entre as espécies. Alguns organismos parecem integrar suas comunidades celulares partilhando seus genes.

Antes se pensava que os genes eram transmitidos exclusivamente à prole de cada espécie e por meio da reprodução. Agora os cientistas estão descobrindo que os genes podem ser compartilhados não apenas entre os membros da mesma espécie, mas também entre outras. Esse processo de transferência genética acelera a evolução, pois os novos organismos podem adquirir experiências "já aprendidas" pelos outros (Nitz *et al.*, 2004; Pennisi, 2004; Boucher *et al.*, 2003; Dutta e Pan, 2002; Gogarten, 2003). Com essa troca de genes, os organismos não podem mais ser vistos como entidades separadas. Não existe mais a suposta divisão entre as espécies. Daniel Drenn, gerente do departamento de energia do projeto Genoma, declarou à *Science* em 2001 (294:1634): "... não temos mais como simplesmente qualificar espécies" (Pennisi, 2001).

Mas essa troca de informações genéticas não ocorre por acidente. Trata-se de um método que a natureza utiliza para aumentar as chances de sobrevivência da biosfera. Como já mencionei, os genes são os arquivos de memória das experiências aprendidas pelos organismos. Essa nova descoberta de que há troca de genes entre as espécies mostra que as experiências podem ser compartilhadas por todos os indivíduos que compõem a grande comunidade da vida. Obviamente, o conhecimento desse mecanismo de transferência torna a engenharia genética ainda mais perigosa. Por exemplo: experiências simples com genes de tomates podem ir muito além daquilo que se imaginava e acabar alterando toda a biosfera de maneira irreversível. Um estudo recente mostra que, quando humanos ingerem alimentos geneticamente modificados, os genes criados artificialmente se misturam e alteram as características das bactérias benéficas do intestino (Heritage, 2004; Netherwood *et al.*, 2004). E a transferência de genes entre vegetais geneticamente modificados e espécies nativas deu origem a espécies e sementes altamente resistentes mas de potencial ainda não conhecido (Milius, 2003; Haygood *et al.*, 2003; Desplanque *et al.*, 2002; Spencer e Snow, 2001). Os engenheiros geneticistas jamais levaram em consideração os possíveis resultados de suas experiências ao introduzir organismos geneticamente modificados no meio ambiente. Agora estamos começando a sentir os efeitos dessa omissão à medida que esses genes se espalham, causando alterações em outros organismos do meio ambiente (Watrud *et al.*, 2004).

Segundo os evolucionistas genéticos, se não aprendermos as lições da natureza, que nos ensinam a importância da cooperação entre as diferentes espécies, podemos pôr em risco o destino da raça humana. Precisamos avançar além das teorias de Darwin, que enfatizam apenas a importância dos indivíduos e entender a importância da comunidade. O cientista inglês Timothy Lenton apresentou evidências de que a evolução depende mais da interação entre diversas espécies do que a interação do indivíduo somente com a sua própria espécie. Só sobrevivem os grupos que melhor se adaptam ao ambiente, não apenas seus indivíduos. Em um artigo publicado pela *Nature* em 1998, Lenton declara que devemos concentrar nossa atenção nos indivíduos e em seu papel na evolução: "... temos de considerar a totalidade dos organismos e seu ambiente físico para entender quais traços persistem e são dominantes" (Lenton, 1998).

Lenton concorda com a hipótese de Gaia, de James Lovelock, segundo a qual a Terra e todas as suas espécies constituem um único organismo vivo e interativo. Todos os que defendem essa idéia concordam que, ao afetarmos o equilíbrio desse super-organismo, a que Lovelock chama de Gaia, seja pela destruição das florestas, da

camada de ozônio seja pela alteração genética dos organismos vivos, podemos ameaçar sua sobrevivência e, conseqüentemente, a nossa.

Estudos recentes do Conselho Britânico de Pesquisas do Meio Ambiente [*Britain's Natural Environment Research Council*] confirmam essa possibilidade (Thomas *et al.*, 2004; Stevens *et al.*, 2004). Embora já tenha havido cinco extinções em massa na história de nosso planeta, todas parecem ter sido causadas por eventos extraterrestres, como um cometa que se chocou contra ele. Um dos novos estudos conclui que o "mundo natural está passando pela sexta extinção" (Lovell, 2004). Mas desta vez o motivo não vem de fora. Segundo Jeremy Thomas, um dos autores desse estudo, "esta extinção está sendo causada por um organismo animal: o homem".

SEGUINDO O CAMINHO DAS CÉLULAS

Lecionando na escola de medicina percebi que os alunos deste tipo de curso conseguem ser mais competitivos e sarcásticos que os de direito. Seguem literalmente a teoria de Darwin em sua luta para ser os "melhores" formandos após quatro anos de sangrenta luta na faculdade. Essa busca desesperada pelas melhores notas e por uma carreira brilhante, mesmo que para isso seja necessário derrubar ou humilhar os colegas, é a expressão literal do modelo darwiniano, mas para mim sempre pareceu o oposto do maior objetivo da medicina, que é a paixão pela cura.

Meus estereótipos, porém, sobre os alunos de medicina caíram por terra durante o período em que vivi naquela ilha. Após minha apresentação do curso, em que os chamei à luta, deixaram de se comportar como alunos convencionais de medicina. Trocaram a competitividade agressiva pela união de esforços e se transformaram em uma equipe disposta a sobreviver bravamente àquele semestre. Os mais capazes ajudavam os mais fracos e, como conseqüência, todos se fortaleceram. Era uma harmonia surpreendente e bela de se observar.

A recompensa final foi um final digno de Hollywood. Apliquei exatamente o mesmo teste final que usava na Universidade de Wisconsin e o resultado não mostrou diferença alguma entre esses alunos "rejeitados" e seus colegas "elitistas" dos Estados Unidos. Muitos chegaram a entrar em contato comigo algum tempo depois para me contar que quando voltaram para casa e começaram a trabalhar com os alunos que haviam cursado universidades norte-americanas descobriram que tinham até mais conhecimentos e domínio dos princípios que regem a vida das células e dos organismos do que eles.

Claro, fiquei extasiado ao ver que meus alunos haviam realizado um verdadeiro milagre acadêmico. Mas levei alguns anos para perceber como eles conseguiram. Na época, achei que o formato do curso é que havia ajudado. Ainda acredito que comparar a biologia das células à biologia humana é a melhor maneira de apresentar o conteúdo. Mas hoje, que me considero ainda mais maluco, no melhor estilo doutor Dolittle, vejo que boa parte do sucesso de meus alunos ocorreu porque eles modificaram sua atitude e passaram a agir de maneira diferente da de seus colegas nos Estados Unidos. Em vez de se comparar aos estudantes de medicina de lá resolveram adotar o princípio das células, que se unem para viver melhor e evoluir. Jamais disse a eles que adotassem esse comportamento, até porque eu mesmo ainda seguia o estilo e muitos dos dogmas da ciência tradicional. Mas fico feliz ao perceber que eles seguiram intuitivamente nessa direção assistindo a minhas aulas sobre a habilidade das células de se unir de maneira cooperativa para formar organismos mais complexos e altamente eficazes.

Outro motivo para o sucesso deles que hoje vejo mais claramente é o fato de eu não ter enaltecido apenas as células durante o curso, mas os alunos também. Sentiram-se motivados ao ouvir que tinham tanta capacidade quanto qualquer estudante de medicina que estivesse fazendo o curso nos Estados Unidos. Vou mostrar nos próximos capítulos que muitos de nós vivemos de maneira limitada não por falta de alternativas, mas por acreditar que elas não existem. Bem, hoje posso afirmar que já enxergo algumas delas. Basta dizer que, após quatro meses vivendo no paraíso e lecionando de uma maneira que me permitiu ter uma noção ainda mais ampla da vida das células e das lições que elas podem nos ensinar, comecei a deixar de lado a poeira de derrotismo da genética, da programação paterna e dos conceitos darwinistas de que somente os melhores sobrevivem, para abraçar definitivamente a nova biologia.

CAPÍTULO DOIS

É O AMBIENTE, SUA BESTA

Jamais me esquecerei de algo que vim a saber em 1967, quando aprendi a clonar células-tronco na faculdade. Levei décadas para perceber quanto aquela informação tão simples poderia me ajudar em minha carreira e em minha vida pessoal. O grande cientista Irv Konigsberg, meu professor e mentor, foi um dos primeiros biólogos celulares a dominar a arte da clonagem de células-tronco. Ele nos explicou que quando há algo de errado com as células que estudamos devemos analisar primeiro o ambiente em que elas se encontram e não apenas as células para descobrir a causa do problema.

Claro, meu professor não era tão rude quanto James Carville, responsável pela campanha de Bill Clinton na época, e que elegeu a frase "é a economia, sua besta" como mantra da campanha para a eleição de 1992. Mas os biólogos celulares bem que poderiam ter colocado placas com o aviso "é o ambiente, sua besta" na parede de seus laboratórios de estudo, exatamente como fizeram os partidários de Clinton. Na época não percebi, mas com o tempo comecei a ver que se trata de uma questão-chave para compreendermos a essência da vida. Sempre me lembrava do conselho de Irv. Toda vez

que estabelecia um ambiente saudável para a cultura de células elas se tornavam mais resistentes. Mas se algo no ambiente não era favorável, elas logo se enfraqueciam. Bastava fazer alguns ajustes para tornar o ambiente mais propício e elas voltavam a se revitalizar.

A maioria dos biólogos, porém, não sabia desse detalhe sobre técnicas de cultura de células e passaram a dar ainda menos importância ao fato após a revelação de Watson e Crick sobre o código genético do DNA. Até mesmo Charles Darwin admitiu, no final de sua vida, que sua teoria evolucionista havia subestimado o papel do meio ambiente. Em uma carta que escreveu para Moritz Wagner em 1876, ele declara (Darwin, F 1888): "Em minha opinião, o maior erro que cometi foi não dar a devida atenção à ação do ambiente sobre os seres, como no caso dos alimentos, clima etc. independentemente do fator seleção natural... Quando escrevi A *origem das espécies*, e mesmo nos anos seguintes, jamais percebi as evidências da ação direta do meio ambiente; hoje elas são muito claras para mim".

Mas os cientistas que seguem a teoria de Darwin continuam a cometer o mesmo erro. Na verdade, o problema dessa indiferença dos cientistas em relação ao ambiente é a ênfase exagerada da "natureza" sob o aspecto do determinismo genético, ou seja, a crença de que os genes "controlam" a biologia. Isso custou ao governo centenas de dólares em pesquisas, como mostrarei mais adiante, porém o mais importante é que essa teoria mudou nossa maneira de pensar sobre a vida. Se alguém acredita que os genes controlam sua vida e que são programados desde o momento da concepção, tem uma boa desculpa para se considerar uma vítima da hereditariedade. "Não tenho culpa de ter maus hábitos. Não posso mudar minha tendência de deixar tudo para a última hora... São minhas características genéticas!"

Desde que se iniciou a era da genética, temos sido levados a crer que não há como lutar contra aquilo que fomos programados para ser. O mundo está cheio de pessoas com medo de que seus genes possam se voltar contra elas. Imagine o número de indivíduos que se consideram verdadeiras bombas-relógio, com medo de que o câncer se desenvolva em seu organismo a qualquer momento só porque isso aconteceu com seus pais, irmãos ou tios. Outros atribuem sua falta de saúde não apenas a uma combinação de fatores mentais, físicos, emocionais e espirituais, mas também a falhas no mecanismo bioquímico de seu organismo. Seus filhos não se comportam bem? A primeira reação dos médicos é corrigir seu "desequilíbrio químico" por meio de medicamentos em vez de tentar descobrir o que há de errado com seu corpo, mente ou espírito.

Claro, algumas doenças como coréia de Huntington, talassemia e fibrose cística são de origem genética. Mas distúrbios desse tipo afetam menos de dois por cento da população. A maioria das pessoas vem a este mundo com uma carga genética capaz de lhes proporcionar uma vida muito feliz e saudável. Doenças que ainda não têm cura como a diabetes, problemas cardíacos e o câncer podem destruir a vida de muitos, mas não são resultado de um único gene e sim de complexas interações entre genes múltiplos e fatores ambientais.

O que pensar então das manchetes sensacionalistas anunciando a descoberta de um gene para cada doença, de depressão a esquizofrenia? Mas leia esses artigos com calma e você vai descobrir outra verdade por trás deles. Os cientistas associaram diversos genes a diferentes doenças e características, mas ainda não chegaram à conclusão de que um simples gene possa ser a fonte delas.

A confusão ocorre porque a mídia deturpa o sentido de dois termos muito importantes: correlação e causa. Uma coisa é dizer que um fator está relacionado a uma doença, outra é dizer que ele é a causa dela, pois isso envolve uma ação direta. Se eu lhe mostrar um molho de chaves e disser que uma delas "controla" meu carro, você vai achar que faz todo sentido, pois sabe que é necessário usar uma chave para dar partida em um automóvel. Mas será que a chave realmente "controla" o carro? Se fosse assim, não se poderia deixar a chave no carro porque ela iria querer passear sozinha com ele quando você não estivesse por perto. A chave está "relacionada" ao controle do carro; a pessoa que a tem nas mãos tem controle sobre ele. Da mesma maneira, determinados genes estão relacionados ao comportamento de um organismo e às suas características. No entanto, permanecem em estado passivo a menos que uma força externa aja sobre eles.

Mas que força é essa que pode ativar os genes? Uma resposta muito interessante para essa questão foi publicada em um ensaio de 1990 intitulado "As metáforas, o papel dos genes e o desenvolvimento", de H. F. Nijhout (Nijhout, 1990). O autor apresenta evidências de que os genes que controlam a biologia se repetem com tanta freqüência e por períodos tão longos de tempo que os cientistas se esqueceram de que se trata apenas de uma hipótese, não de verdade comprovada. Na verdade, a idéia de que os genes controlam a biologia é apenas uma suposição jamais comprovada e até questionada pelas descobertas científicas mais recentes. Nijhout afirma que o controle genético se tornou uma metáfora em nossa sociedade. Queremos acreditar que os engenheiros geneticistas são os novos mágicos da medicina e que vão curar as doenças com a mesma maestria de gênios como Einstein ou Mozart. Mas metáforas

não combinam com verdades científicas. Nijhout apresenta a verdade: "Quando determinada característica de um gene se faz necessária, o ambiente gera um sinal que o ativa. O gene não se manifesta por si só". Ou seja, quando se trata de controle genético o que fala mais alto "é o ambiente, sua besta".

PROTEÍNA: O MATERIAL DA VIDA

É fácil entender como o controle genético se tornou uma metáfora, pois os cientistas se adaptaram rapidamente aos conceitos a respeito do mecanismo do DNA. Especialistas em química orgânica descobriram que as células são feitas de quatro tipos de moléculas grandes: polissacarídeos (açúcares complexos), lipídeos (gorduras), ácidos nucléicos (DNA/RNA) e proteínas. Embora a célula precise das quatro, o componente mais importante para a vida dos organismos é a proteína. A estrutura de nossas células é composta, em grande parte, de blocos de proteína. Observando os trilhões de células que compõem o nosso corpo, poderíamos dizer que são pequenas máquinas de proteína, embora já se saiba que são muito mais que meras máquinas! Parece algo simples, mas não é. Para se ter uma idéia, são necessários mais de 100 mil tipos diferentes de proteínas para compor nosso corpo.

Vejamos como elas são organizadas. Cada proteína é uma cadeia ou "cordão" linear de moléculas de aminoácidos parecida com aqueles colares de contas plásticas coloridas de brinquedo de que as meninas gostam. Veja a ilustração seguinte.

Cada cadeia representa uma das 23 moléculas de aminoácidos utilizadas pelas células. Embora a analogia do colar de contas seja

interessante para elucidar o conceito, nem todos os aminoácidos têm formato tão perfeito. Para se aproximar do formato real, tente imaginar um colar que saiu da fábrica um pouco deformado.

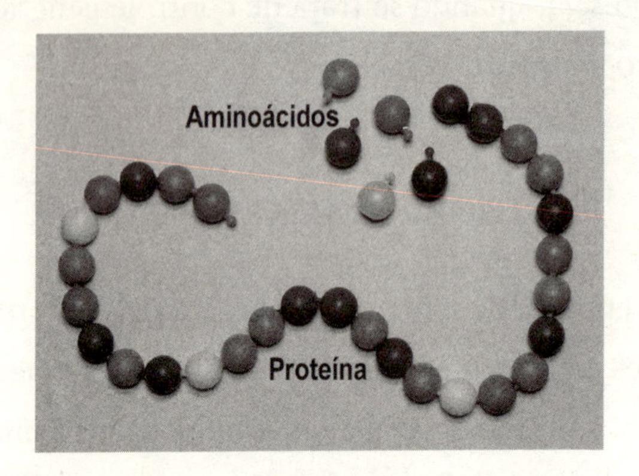

Para ter uma idéia ainda melhor de como são os aminoácidos que formam a "espinha dorsal" das proteínas das células, imagine um colar mais maleável que o de bolinhas de plástico, mas que pode se romper se for esticado ou dobrado com muita intensidade. A estrutura e o comportamento dessa coluna vertebral também podem ser comparados aos de uma cobra, com pequenos ossos interligados chamados vértebras, que lhe permitem se mover e ficar nas posições mais variadas ou mesmo se enrodilhar.

As juntas flexíveis (ligações peptídicas) entre os aminoácidos dessa coluna de proteínas permitem que cada uma delas adote um formato diferente. Com a rotação e flexão de suas "vértebras" de aminoácidos, as moléculas de proteína parecem nanocobras, capazes de se contorcer e esticar. Há dois fatores básicos que determinam o contorno da espinha dorsal de uma proteína, e por conseguinte sua forma: um é o padrão físico definido pela seqüência de aminoácidos de formatos diferentes que formam o colar.

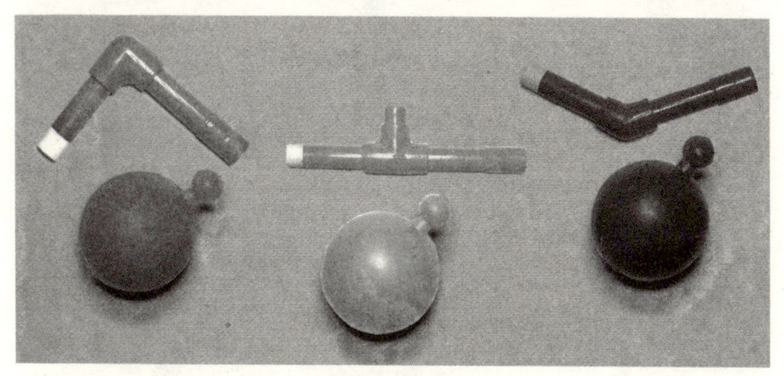

Diferente dos colares de contas plásticas uniformes, cada um dos 20 aminoácidos que formam a espinha dorsal da proteína tem um formato diferente. Para facilitar, veja na figura a diferença entre o formato das contas ou bolinhas de plástico e dos canos de PVC.

O segundo é a interação de carga eletromagnética entre os aminoácidos da cadeia. A maioria deles tem carga positiva ou negativa, o que os transforma em uma espécie de ímã: carga semelhante faz as moléculas se repelirem e carga oposta faz com que se atraiam. Como mostra a figura acima, a espinha dorsal flexível de proteínas encontra a posição ideal quando suas juntas de aminoácidos giram e se adaptam para equilibrar a força gerada pelas cargas positiva e negativa.

As espinhas dorsais de algumas moléculas de proteína são tão longas que requerem ajuda de "assistentes", chamadas proteínas acompanhantes, para serem dobradas. Proteínas em posição incorreta não funcionam direito, exatamente como a coluna vertebral humana. Essas proteínas anormais são marcadas pela célula para serem destruídas. A cadeia é então desmontada e seus aminoácidos reciclados na síntese de novas proteínas.

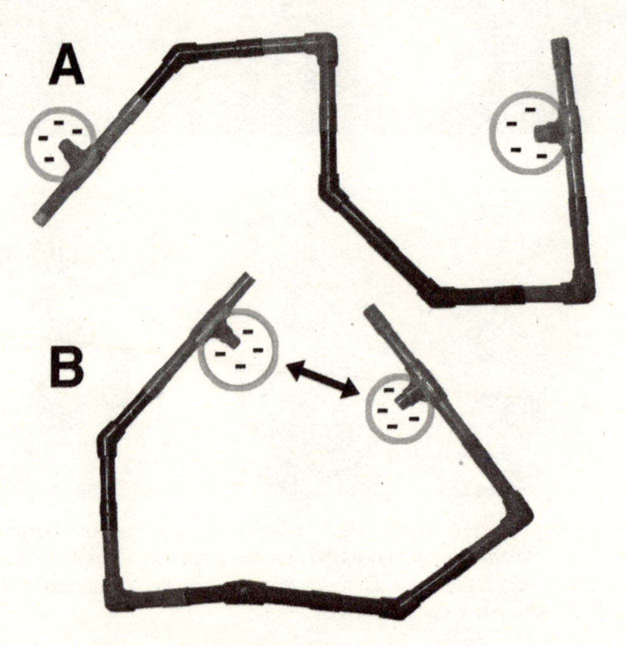

As espinhas dorsais A e B têm exatamente a mesma seqüência de aminoácidos (junções de PVC), mas estão em posições (conformações) totalmente diferentes. As variações no formato da coluna são resultado dos diferentes movimentos de rotação nas junções entre os encaixes. Assim como as junções de PVC, os elos (ligações peptídicas) dos aminoácidos giram, permitindo que a espinha dorsal se contorça como a de uma cobra. A maioria deles pode adotar as formas mais diversas, porém tem preferência por duas ou três configurações específicas. Qual das duas então (A ou B) você imagina que essa hipotética proteína irá preferir? A resposta tem a ver com o fato de que os elos dos aminoácidos das pontas têm carga negativa. Como cargas semelhantes se repelem, quanto mais distantes estiverem uma da outra mais estável será a configuração. Portanto, a configuração A seria a mais provável porque suas extremidades ficam mais distantes uma da outra do que as da configuração B.

COMO AS PROTEÍNAS CRIAM A VIDA

O que distingue os organismos vivos dos outros é a capacidade de se moverem, ou seja, o fato de serem entidades animadas. A energia que permite seus movimentos é responsável por todo o "trabalho" que caracteriza a vida dos organismos, como a respiração, a digestão e a contração muscular. Para entendermos melhor a natureza da vida, precisamos compreender um pouco sobre o funcionamento das "máquinas" de proteína.

O formato final ou *conformação* (termo técnico utilizado pelos biólogos) de uma molécula de proteína é o resultado do estado de equilíbrio entre suas cargas eletromagnéticas. Mas se as cargas positiva e negativa das proteínas são alteradas, sua espinha dorsal muda drasticamente de posição para ajustá-las à nova distribuição de energia. A distribuição dessa carga eletromagnética pode ser seletivamente alterada por diversos processos: ligação com outras moléculas ou grupos químicos como os hormônios, remoção enzimática ou adição de íons carregados ou mesmo a interferência de campos eletromagnéticos como aqueles emitidos por telefones celulares (Tsong, 1989).

As proteínas de formato adaptável exemplificam uma ação de engenharia ainda mais impressionante, pois seu formato tridimensional também lhes permite estabelecer ligação com outras proteínas. Quando uma delas encontra outra molécula que a complementa em termos físicos e energéticos, as duas se conectam, exatamente da mesma maneira que os produtos de fabricação humana, como o mecanismo de uma batedeira ou de um relógio analógico, por exemplo.

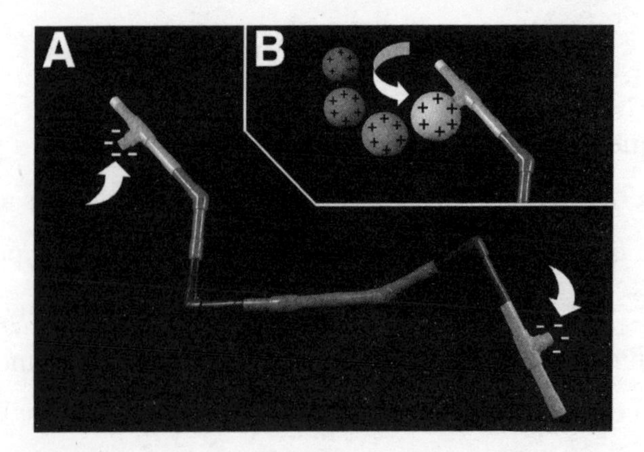

A Figura A mostra a disposição preferida de nossa hipotética espinha dorsal de proteína. As forças entre os dois terminais de aminoácidos (arcos) negativamente carregados se repelem e fazem com que a estrutura se estenda, deixando-os o mais longe possível um do outro. A Figura B mostra mais de perto a estrutura de uma extremidade do aminoácido. Um sinal, que neste caso é uma molécula com uma carga elétrica altamente positiva (esfera branca), faz com que ela seja atraída e estabeleça uma ligação com a extremidade negativa do aminoácido da proteína. Neste caso, a carga do sinal é mais positiva e mais forte que a carga negativa do aminoácido. Quando o sinal se ajusta à proteína, passa a haver um excesso de carga positiva nessa extremidade da espinha dorsal. E como cargas positiva e negativa se atraem, os aminoácidos da espinha dorsal giram e adaptam seu formato para que as pontas positiva e negativa da estrutura se aproximem.

A Figura C mostra a proteína mudando da configuração A para a configuração B. Essa adaptação gera um movimento, que por sua vez gera uma função ou atividade como digestão, respiração ou contração muscular. Quando o sinal se interrompe, a proteína retorna à posição reta, de sua preferência. É assim que as proteínas, estimuladas por sinais, geram os movimentos da vida.

Veja as duas ilustrações seguintes. A primeira mostra cinco proteínas de formato único, um exemplo clássico das "engrenagens" presentes nas células. Essas engrenagens possuem extremidades tridimensionais mais macias que aquelas fabricadas por mãos humanas, mas que se encaixam e mantêm de maneira firme e segura a ligação com outras proteínas complementares.

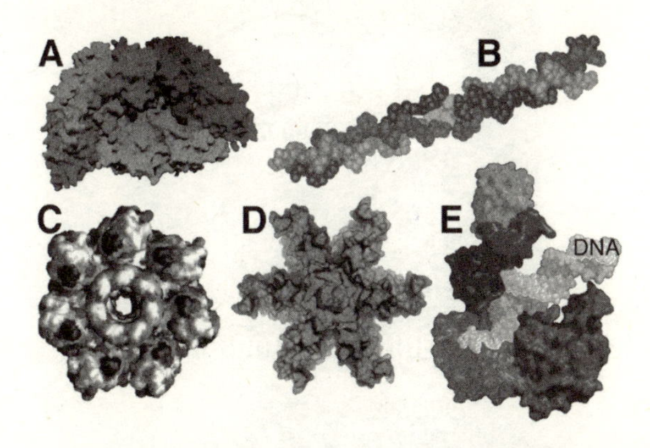

Um jardim zoológico de proteínas. Esta figura mostra cinco exemplos diferentes de moléculas de proteína. Cada uma delas possui uma configuração tridimensional muito precisa e cada uma de suas células tem uma cópia perfeita desse formato: A) A enzima que digere átomos de hidrogênio; B) Filamentos entrelaçados de proteína de colágeno; C) Um canal (proteína de membranas com uma abertura central); D) Subunidade de proteína de uma "cápsula" que contém vírus; E) Enzima sintetizadora de DNA com uma molécula helicoidal de DNA ligada a ela.

Na segunda ilustração, selecionei o mecanismo de um relógio para mostrar o funcionamento da célula. A primeira figura mostra uma máquina de metal com suas engrenagens, molas, pedras e a caixa do mecanismo. Quando a Engrenagem A gira, faz com que a Engrenagem B gire também, e o movimento de B desencadeia o movimento em C. Na imagem seguinte sobrepus as engrenagens do relógio e o suave mecanismo das proteínas orgânicas (ampliadas milhões de vezes para ter o mesmo tamanho de um relógio) para que se possa ter uma

noção mais exata. Imagine a Proteína A "de metal" girando, fazendo com que a Proteína B se movimente e, conseqüentemente, colocando a Proteína C em movimento. Observe então a terceira figura, em que retirei a estrutura do relógio. *Voilà*! Você está vendo o "mecanismo" de uma dos milhões de proteínas que compõem uma célula!

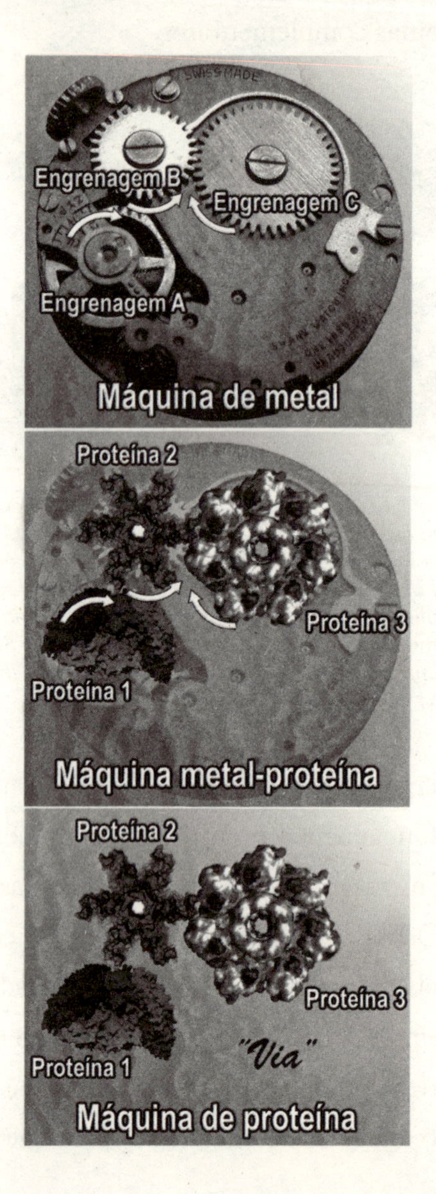

Proteínas citoplásmicas que cooperam entre si para criar funções fisiológicas específicas são agrupadas em grupos chamados vias. Estes grupos são identificados por suas funções, como os das vias respiratórias, digestivas, de contração muscular e o infame ciclo de Krebs, amaldiçoado pelos estudantes de ciências que são obrigados a memorizar cada um de seus componentes de proteína e todas as suas complexas reações químicas.

Você consegue imaginar a alegria dos biólogos quando descobriram o funcionamento dessas máquinas de montagem de proteínas? As células utilizam os movimentos desse mecanismo para desenvolver funções específicas de metabolismo e comportamento. O movimento constante e adaptável das proteínas, que pode se repetir centenas de vezes em uma fração de segundos, é o movimento que impulsiona a vida.

A SUPREMACIA DO DNA

Você já deve ter percebido que eu ainda não falei sobre DNA, mas há um motivo. A mudança da carga eletromagnética das proteínas é a responsável pelo movimento que gera o comportamento delas, e não o DNA. Até hoje não sei como pudemos pensar que os genes "controlam" a biologia! Em *A origem das espécies*, Darwin sugeria que os fatores "hereditários" eram passados de geração em geração, controlando as características de cada uma delas. A influência dessa teoria foi tão grande que os cientistas acabaram concentrando suas pesquisas em identificar o material hereditário que acreditavam ser a base da vida.

Em 1910, análises microscópicas revelaram que as informações hereditárias que passavam de uma geração para outra estavam

nos cromossomos, estruturas semelhantes a fios que se tornam visíveis nas células no momento em que elas se dividem em dois "filhotes". Os cromossomos são incorporados à organela maior desses filhotes, o núcleo. Os cientistas isolaram então o núcleo, dissecaram os cromossomos e descobriram que os elementos hereditários eram compostos de apenas dois tipos de moléculas: proteína e DNA. Perceberam então que, de alguma maneira, as máquinas de proteína da vida faziam parte da estrutura e da função dessas células de cromossomos.

A compreensão das funções dos cromossomos se tornou mais clara em 1944, quando os cientistas determinaram que era o DNA que continha as informações hereditárias (Avery *et al.*, 1944; Lederberg, 1994). As experiências de seleção do DNA foram solenes. Aqueles cientistas isolaram DNA puro de uma espécie de bactéria – que vou chamar de espécie A – e adicionaram esse DNA a culturas que continham apenas bactérias do que chamarei de espécie B. Em pouco tempo, as bactérias da espécie B começaram a apresentar traços hereditários que antes só existiam na espécie A. Quando se descobriu que não era necessário nenhum outro elemento além do DNA para transmitir traços de uma espécie para a outra, as moléculas de DNA se transformaram em estrelas da ciência.

Faltava, então, desvendar a estrutura e as funções daquela molécula milagrosa. Moléculas de DNA são longas e têm o formato de um fio. São compostas de quatro produtos químicos que contêm nitrogênio, chamados bases: adenina, timina, citosina e guanina (ou A, T, C e G). A descoberta de Watson e Crick sobre a estrutura do DNA levou à conclusão de que a seqüência das bases A, T, C e G explicam a seqüência de aminoácidos em uma espinha dorsal de proteína (Watson e Crick, 1953). Estes longos fios de moléculas

de DNA podem ser subdivididos em genes isolados, segmentos que fornecem o projeto de proteínas específicas. O código para se criar máquinas de proteína havia sido finalmente desvendado!

Watson e Crick também explicaram por que o DNA é a molécula hereditária perfeita. Cada um desses fios é normalmente entrelaçado a outro, uma configuração chamada de "dupla espiral". O conceito genial desse sistema é que as seqüências das bases de DNA em ambas as espirais são cópias perfeitas uma da outra. Então, se elas se separam, cada uma contém as informações necessárias para criar outra cópia exata de si mesma. Essa característica lhes permite ser auto-reprodutora. Por isso os cientistas imaginaram que o DNA pudesse "controlar" seu processo de duplicação, ou seja, que fosse "dono do próprio nariz".

O "conceito" de que o DNA tivesse esse poder de reprodução e também que servisse de modelo para as proteínas levou Francis Crick a criar o dogma central da biologia, a crença de que o DNA controla a vida. Este dogma passou a ser tão importante para a biologia moderna que se tornou algo como os Dez Mandamentos da ciência. Também chamado de "supremacia do DNA", está presente em todos os textos científicos da atualidade.

O DNA figura com destaque na teoria do funcionamento da vida, seguido de perto pelo RNA. O RNA é uma espécie de fotocópia do DNA, um gabarito físico que contém todas as seqüências de aminoácidos que formam a espinha dorsal de uma proteína. O diagrama da supremacia do DNA descreve a base lógica da era do determinismo Genético. Como as características de um organismo vivo são definidas pela natureza de suas proteínas e o código delas está no DNA, faz todo sentido dizer que ele é sua "causa" ou fator determinante.

O PROJETO GENOMA HUMANO

Agora que o DNA havia atingido o *status* de super-estrela da ciência, o desafio seguinte era criar um catálogo de todas as estrelas genéticas no firmamento humano. Iniciou-se, então, em 1980, o projeto Genoma Humano, um esforço científico global para classificar todos os genes de nossa composição orgânica.

Tratava-se de um projeto ambicioso e de grandes proporções. Convencionou-se que o corpo precisava de um gene-modelo para cada uma das 100 mil proteínas que compõem nosso corpo e também de mais 20 mil genes reguladores para orquestrar a atividade de codificação das proteínas. Os cientistas concluíram que o genoma humano deveria conter um mínimo de 120 mil genes entre nossos 23 pares de cromossomos.

Mas não era só isso. Parecia que os cientistas estavam no meio de uma piada cósmica, o tipo daquela que acontece sempre que alguém acha que descobriu os segredos do universo. Imagine o impacto que Nicolau Copérnico causou ao anunciar em 1543 que a Terra não era o centro do universo como pensavam os cientistas-teólogos da época. O fato de que era a Terra quem gravitava ao redor do Sol e o de que nem mesmo o Sol era o centro do universo colocaram em xeque os ensinamentos da Igreja. As descobertas de Copérnico deram início à revolução científica ao desafiar o conceito de "infalibilidade" da Igreja e fizeram com que a ciência a substituísse como fonte de conhecimento e de descoberta dos mistérios do universo.

Os geneticistas também tiveram um grande choque ao descobrir que, ao contrário de sua estimativa de 120 mil genes, o genoma humano tem apenas 25 mil (Pennisi, 2003a e 2003b; Pearson, 2003;

Goodman, 2003). Mais de 80 por cento do que se presumia ser DNA simplesmente não existe! A falta desses genes causou mais impacto do que se poderia supor. O conceito de gene e proteína únicos era o princípio básico do determinismo genético. Com isso, o projeto Genoma Humano veio abaixo e todos os nossos conceitos sobre o funcionamento básico da vida tiveram de ser revistos. Não era mais possível continuar acreditando que a engenharia genética iria resolver todos os dilemas biológicos. Não há genes suficientes para compor um quadro tão complexo quanto a vida ou as doenças humanas.

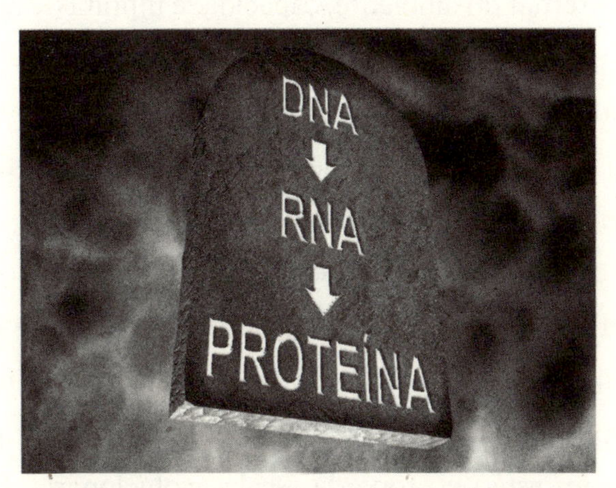

O dogma central. Também chamado de supremacia do DNA, define o fluxo de informações nos organismos biológicos. Como indicam as setas, o fluxo segue em uma única direção, do DNA para o RNA e depois para a proteína. O DNA representa a memória de longo prazo da célula, que é passada de geração em geração. O RNA, uma cópia mais instável da molécula de DNA, é a memória ativa utilizada pela célula como modelo físico para a síntese das proteínas. As proteínas são os tijolos moleculares que compõem a estrutura e o comportamento das células. O DNA é considerado a "fonte" que controla as características das proteínas das células, daí o conceito de supremacia, ou seja, de que ele é a "causa primária" de todo o processo.

Pode até parecer coisa do estúdio da Disney: o galo *Chicken Little* anunciando aos berros que o céu está desmoronando e *Chicken Big*, o galo maior, ajudando a espalhar a notícia. David Baltimore,

um dos maiores geneticistas mundiais e ganhador do prêmio Nobel, fez comentários sobre os resultados surpreendentes do projeto Genoma Humano e de sua complexidade (Baltimore, 2001): "A menos que o genoma humano contenha alguns genes invisíveis aos nossos computadores, fica claro que não somos superiores a nenhum verme ou planta em termos de complexidade orgânica ou número de genes. Entender este conceito nos mostra que temos uma imensa complexidade, um grande repertório comportamental, habilidade de produzir ação consciente, incrível coordenação física, reações precisas às variações externas do ambiente, capacidade infinita de aprendizado, memória... preciso dizer mais? É um desafio para o futuro".

Segundo Baltimore, os resultados do projeto Genoma Humano nos forçam a considerar outras idéias sobre o funcionamento da vida. "Compreender o que nos torna tão complexos... é um desafio para o futuro". O céu está mesmo desmoronando.

Além disso, esses resultados mostram que precisamos rever nosso relacionamento genético com outros organismos na biosfera. Não podemos continuar usando os genes para explicar por que os seres humanos estão no topo da escala evolucionária. Parece não haver muita diferença entre o número de genes encontrados em nossa espécie e em outras a que chamamos primitivas. Vejamos três dos modelos animais mais utilizados nas pesquisas genéticas: um microscópico nematódeo chamado *Caenorhabditis elegans*, a mosca-das-frutas e o rato de laboratório.

O verme primitivo *Caenorhabditis* serve de modelo perfeito para o estudo do papel dos genes no desenvolvimento e no comportamento dos seres. É um organismo que cresce e se desenvolve com muita rapidez, tem um corpo de padrão preciso composto de

exatamente 969 células e um cérebro muito simples de 302 células. No entanto, apresenta um repertório único de comportamento e é bastante dócil para o trabalho em laboratório. Tem aproximadamente 24 mil genes (Blaxter, 2003). O corpo humano, composto de mais de 50 trilhões de células, contém apenas 1500 genes a mais que este microscópico e humilde ser.

A mosca-das-frutas, outro espécime preferido dos cientistas para este tipo de estudo, possui 15 mil genes (Blaxter, 2003; Celniker *et al.*, 2002). Portanto, esta pequena mosca, de organismo muito mais complexo, tem nove mil genes a menos que o primitivo verme *Caenorhabditis*. E quando se trata de comparar homens e ratos a situação é ainda mais crítica. Teremos de passar a tratá-los com mais dignidade, pois os resultados dos projetos genoma paralelos revelam que humanos e roedores têm aproximadamente o mesmo número de genes!

BIOLOGIA CELULAR 101

Depois de todas essas pesquisas, os cientistas já deviam ter concluído que os genes não controlam nossa vida. Por definição, o cérebro é o órgão responsável pelo controle e coordenação da fisiologia e do comportamento dos organismos. Mas será que o núcleo é o cérebro das células? Se a hipótese de que o núcleo e seu material de DNA são o "cérebro" da célula estivesse correta, remover este núcleo (um processo chamado enucleação) causaria sua morte imediata.

Mas então, para surpresa geral... (Maestro, que rufem os tambores!)

Um cientista arrasta nossa pobre e relutante célula até a área de visão do microscópio e a prende a uma base fixa. Usando um micromanipulador, leva uma micropipeta até a célula e a insere no interior do citoplasma. Aplicando uma leve sucção, o núcleo é aspirado para dentro da pipeta, que é então retirada do interior do citoplasma. Encontra-se então em nossas mãos o objeto do sacrifício da célula: seu "cérebro".

Mas, espere! Ela ainda está se movendo! Não pode ser... a célula ainda está viva!

O ferimento se fecha e, assim como um paciente após uma cirurgia, a célula começa a se recuperar. Algum tempo depois já está de pé (digo, sobre seus pseudópodes), fugindo do campo do microscópio, esperando nunca mais ver um cientista em sua vida.

Muitas células sobrevivem dois ou três meses sem seus genes após esta enucleação (retirada do núcleo) e, ao contrário do que se imagina, não passam a viver como autômatos, sem vontade própria. Continuam a ingerir e metabolizar alimentos, mantêm todas as operações de seu sistema fisiológico (respiração, digestão, excreção, mobilidade etc.), comunicam-se com as outras células e respondem normalmente aos estímulos de crescimento e proteção que recebem do ambiente.

Mas, claro, há efeitos colaterais. Sem os genes, as células não podem mais se dividir ou repor as proteínas que perdem com o desgaste normal do citoplasma. Essa impossibilidade de reposição de proteínas citoplásmicas gera disfunções mecânicas que acabam resultando em sua morte.

O objetivo dessa experiência é verificar se o conceito de que o núcleo é o "cérebro" da célula tem validade. Se ela tivesse morrido imediatamente após a enucleação, a teoria estaria correta. Mas os resultados são muito claros: células enucleadas mantêm seu complexo e coordenado comportamento de manutenção da vida, o que nos leva a concluir que seu "cérebro" ainda está intacto e em pleno funcionamento.

Mas o fato de as células enucleadas manterem as funções biológicas, apesar da ausência de genes, não é uma descoberta nova. Cem anos atrás os embriologistas já removiam os núcleos das células de ovos e mostravam que uma única célula conseguia se desenvolver até o estágio de blástula, desenvolvimento embrionário de seres de 40 ou mais células. Hoje, as células enucleadas são utilizadas na indústria em camadas de células "alimentadoras" para a cultura de vírus de vacinas.

Bem, mas se o núcleo e seus genes não são o cérebro de uma célula, qual é a verdadeira contribuição do DNA para a vida celular? Células enucleadas não morrem porque perdem o cérebro, e sim a capacidade de reprodução. Sem essa habilidade não conseguem mais repor proteínas ou mesmo se dividir para criar réplicas de si mesmas. Então, pode-se concluir que o núcleo não é o cérebro da célula, e sim sua gônada! Confundir órgãos sexuais com cérebro é até um erro aceitável já que a ciência sempre adotou um comportamento patriarcal. Como machos são normalmente acusados de pensar com suas gônadas, não é de se surpreender que os cientistas tenham confundido o núcleo das células com o cérebro!

EPIGENÉTICA: A NOVA CIÊNCIA NOS PERMITE RESGATAR O CONTROLE SOBRE NOSSA VIDA

Os teóricos que defendem a tese de que os genes comandam nosso destino parecem ignorar as experiências sobre as células anucleadas realizadas há mais de 100 anos. Mas não podem ignorar as novas pesquisas, que também mostram que eles estão enganados.

Enquanto o projeto Genoma Humano figurava em todas as manchetes, um grupo de cientistas iniciava um novo e revolucionário campo da biologia chamado *epigenética*. A ciência da epigenética, que significa literalmente "controle sobre a genética", modificou completamente os conceitos científicos sobre a vida (Pray, 2004; Silverman, 2004). Na última década, as pesquisas epigenéticas estabeleceram que os padrões de DNA passados por meio dos genes não são definitivos, isto é, os genes não comandam nosso destino! Influências ambientais como nutrição, estresse e emoções podem influenciar os genes ainda que não causem modificações em sua estrutura. Os epigeneticistas já descobriram que essas modificações podem ser passadas para as gerações futuras da mesma maneira que o padrão de DNA é passado pela dupla espiral (Reik e Walter, 2001; Surani, 2001).

Não há dúvida de que as descobertas epigenéticas deixaram para trás as descobertas genéticas. Desde a década de 1940, os biólogos vêm isolando o DNA do núcleo das células para estudar os mecanismos genéticos. Nesse processo de abrir a membrana do núcleo retirado e remover os cromossomos, compostos metade de DNA e metade de proteínas reguladoras, em sua ânsia de estudar o DNA, jogavam fora as proteínas. Na verdade, estavam jogando fora o bebê junto com a placenta. Hoje esse bebê está sendo resgatado com o estudo das proteínas dos cromossomos, que desempenham um papel tão crucial na hereditariedade quanto o DNA.

O DNA forma o centro do cromossomo e as proteínas formam um revestimento ao seu redor. Enquanto os genes estão cobertos, porém, sua informação não pode ser "lida". Imagine que seu braço é o DNA responsável pela característica de olhos azuis e que ele é recoberto por uma camada de proteínas reguladoras que o protegem como a manga de uma camisa, impedindo que suas informações sejam acessadas.

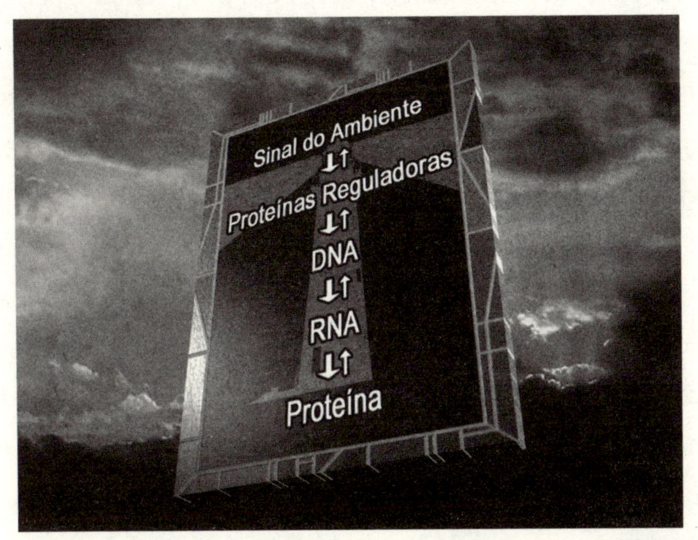

A primazia do ambiente. A nova ciência revela que as informações que controlam a biologia têm origem nos sinais ambientais. Estes, por sua vez, controlam as ligações das proteínas reguladoras do DNA, que regulam as atividades dos genes. As funções do DNA, do RNA e das proteínas são as mesmas descritas no painel de primazia do DNA. Observe que o fluxo de informações não é mais unidirecional. Nos anos 1960, Howard Temin desafiou o dogma central ao apresentar experiências que revelavam que o RNA podia seguir um fluxo oposto ao estabelecido pelas regras científicas de até então e modificar o DNA. Inicialmente, ridicularizado por suas heresias, Temin acabou ganhando o Prêmio Nobel por sua teoria de transcriptase reversa, mecanismo molecular que permite ao RNA modificar o código genético. A transcriptase reversa ficou ainda mais conhecida ao ser utilizada na manipulação do RNA do vírus da Aids para controlar o DNA das células infectadas. Também já se sabe que fazer modificações nas moléculas de DNA adicionando ou removendo grupos químicos de metil pode influenciar a ligação das proteínas regulatórias. As proteínas precisam seguir o fluxo previsto de informações, já que os anticorpos de proteínas em células imunes são responsáveis pelas modificações do DNA nas células que os sintetizam. O tamanho das setas que indica o fluxo de informações também não é o mesmo. Há sérias restrições quanto à reversão desse fluxo; uma composição que evitaria mudanças radicais no genoma das células.

Como se remove essa manga? Somente um sinal do ambiente pode fazer com que essa capa de proteína modifique seu formato como ocorre com a dupla hélice de DNA, por exemplo, permitindo que seus genes sejam lidos. Quando o DNA fica exposto, a célula pode fazer uma cópia dele, e a atividade do gene passa a ser "controlada" pela presença ou pela ausência da capa de proteína que, por sua vez, é controlada pelos sinais do ambiente.

A história do controle epigenético é a história de como os sinais ambientais controlam a atividade dos genes. Agora fica claro que o quadro de primazia do DNA tem falhas. O esquema revisado do fluxo de informações hoje pode ser chamado de "primazia do ambiente". Este novo e mais sofisticado fluxo de informações da biologia começa com um sinal do ambiente que age sobre as proteínas reguladoras, depois sobre o DNA, o RNA e finalmente sobre o resultado final, a proteína.

A ciência da epigenética também deixa claro que há dois mecanismos pelos quais os organismos transmitem suas informações hereditárias. Ambos permitem aos cientistas estudar tanto as contribuições da natureza (genes) quanto as do aprendizado (mecanismos epigenéticos) sobre o comportamento humano. Se focarmos nossa atenção apenas nos padrões, como os cientistas vêm fazendo há décadas, jamais vamos entender a influência do ambiente (Dennis, 2003; Chakravarti e Little, 2003).

Vamos usar uma analogia para tornar mais clara essa relação entre a epigenética e os mecanismos genéticos. Você se lembra da época em que a programação da televisão acabava à meia-noite? Quando os canais saíam do ar, um "padrão de teste" era exibido na tela. A imagem era semelhante à de um alvo de dardos, como na figura seguinte.

Imagine que o padrão da tela é o padrão codificado por um determinado gene, como o de olhos castanhos, por exemplo. Os botões e os controles da TV permitem que você modifique a aparência horizontal e vertical da tela, ligue ou desligue o aparelho e altere características como cor, tonalidade, contraste e brilho. Ao fazer essas modificações você pode alterar a aparência da tela, mas não modificar o padrão original da imagem. Esse é o papel das proteínas reguladoras. Estudos de síntese de proteínas revelam que os "controles" epigenéticos podem criar mais de duas mil variações de proteínas a partir de um mesmo padrão genético (Bray, 2003; Schmuker *et al.*, 2000).

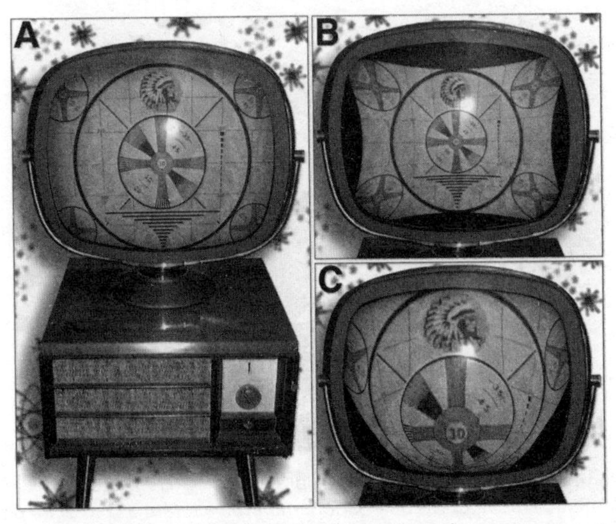

Nessa analogia epigenética, o padrão de teste na tela representa o padrão da estrutura da proteína codificado por um gene. Os controles da TV permitem que se altere a aparência do padrão (B e C), mas não o padrão original da transmissão (no caso, do gene). O controle da epigenética modifica a leitura do gene sem modificar o código de DNA.

EXPERIÊNCIAS DA VIDA DOS PAIS MOLDAM O PERFIL GENÉTICO DAS CRIANÇAS

Sabemos que as regulagens geradas pelo meio ambiente descritas acima podem ser passadas de geração em geração. Um estudo importante publicado pela Universidade de Duke em 1º de agosto de 2003 sobre biologia molecular e celular mostra, por meio de experiências com ratos, que um ambiente rico pode ter influência mais forte que as mutações genéticas (Waterland e Jirtle, 2003). Nesse estudo, cientistas observaram os efeitos de suplementos dietéticos sobre ratas prenhes com genes de cutia. Este tipo de rato costuma apresentar pelagem amarelada e obesidade extrema, o que o predispõe a doenças cardiovasculares, diabetes e câncer.

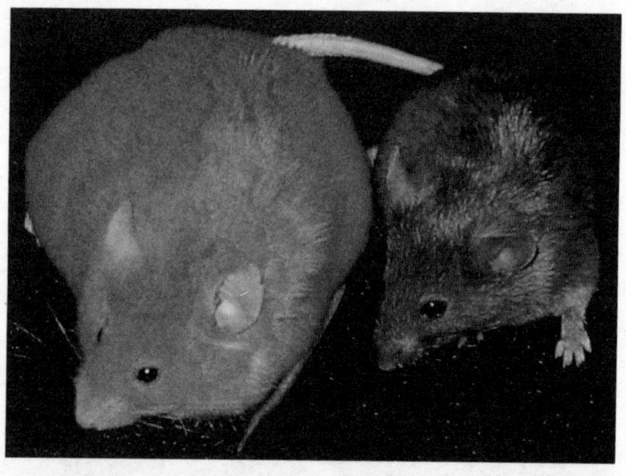

As irmãs cutias: fêmeas cutias de um ano de idade geneticamente idênticas. Suplementos metiladores da doadora materna alteram a coloração da pelagem de amarelo para marrom e fazem com que a incidência de obesidade, diabetes e câncer seja reduzida (Foto: cortesia de Jirtle e Waterland©).

Na experiência, um grupo de cutias-mães amarelas e obesas recebeu suplementos ricos em metil do tipo encontrado em lojas de produtos alimentares: ácido fólico, vitamina B12, betaína e colina. Esses suplementos foram escolhidos porque muitos estudos mostram que o grupo químico metil está associado a modificações genéticas.

Ao entrar em contato com o DNA, esses nutrientes modificam as características das proteínas cromossômicas reguladoras. Se elas se juntam ao gene e o envolvem, a carcaça de proteína não pode ser removida e as informações do gene não podem ser lidas. Assim, o DNA metilado pode impedir ou modificar a atividade do gene.

Dessa vez, as manchetes de "Dieta supera os genes" estavam corretas. Ratas que tomaram metiladores tiveram filhotes de tamanho e peso normais e pelagem marrom, apesar dos genes cutia que herdaram da mãe. Já as que não tomaram os suplementos produziram filhotes amarelos, com tendência a ingerir quantidades muito maiores de alimentos que os filhotes marrons e que dobraram de peso muito mais rápido que eles.

A fotografia mostra claramente as diferenças. Embora os dois ratos sejam geneticamente idênticos, têm aparência completamente diferente. Um é magro e marrom enquanto o outro é amarelo e obeso. Outra diferença é que o amarelo é diabético enquanto o marrom é totalmente saudável.

Outros estudos mostram que os mecanismos epigenéticos são um fator importante em diversas doenças, entre elas o câncer, os problemas cardiovasculares e a diabetes. Na verdade, apenas cinco por cento dos pacientes de câncer ou que apresentam problemas cardiovasculares podem atribuir suas doenças a fatores hereditários (Willet, 2002). A mídia alardeou a descoberta do gene do câncer de mama, mas deixou de mencionar que 90 por cento dos casos desse tipo de câncer não está associado a genes herdados. A maioria ocorre por alterações induzidas pelo ambiente e não por genes defeituosos (Kling, 2003; Jones, 2001; Seppa, 2000; Baylin, 1997).

As evidências epigenéticas foram tantas que alguns cientistas mais tradicionais começaram a mencionar o nome de Jean-Baptiste de Lamarck, o evolucionista antes tão desdenhado, que acreditava que os traços adquiridos por influência do ambiente podem ser transmitidos. A filósofa Eva Jablonka e o biólogo Marion Lamb declaram em seu livro publicado em 1995, *Epigenetic inheritance and evolution* – the lamarchian dimension [Herança epigenética e evolução – a dimensão lamarquiana]: "Nos últimos anos, a biologia molecular mostrou que o genoma é mais amplo e suscetível ao ambiente do que se imaginava. Mostrou também que as informações podem ser transmitidas aos descendentes de várias maneiras, não apenas por meio da seqüência básica do DNA" (Jablonka e Lamb, 1995).

Bem, voltamos ao ponto em que iniciamos este capítulo, o ambiente. Em meu trabalho de laboratório, pude testemunhar diversas vezes o impacto do ambiente modificado nas células que estava estudando. Porém, foi somente no final de minha carreira de pesquisador, em Stanford, que a mensagem se tornou mais clara em minha mente. Percebi que a estrutura e a função das células endoteliais (da mucosa dos vasos sanguíneos) se modificavam dependendo do ambiente a que eram expostas. Quando eu adicionava produtos químicos inflamatórios à cultura, as células se transformavam rapidamente em macrófagos, os limpadores do sistema imunológico responsáveis por eliminar corpos estranhos. O mais interessante foi constatar que mesmo após eu ter destruído o seu DNA com raios gama elas ainda se transformavam. Ou seja, mesmo "funcionalmente enucleadas", essas células endoteliais conseguiam modificar seu comportamento biológico em resposta a agentes inflamatórios

da mesma maneira que faziam quando tinham seus núcleos intactos. Isso me mostrou claramente que apresentavam algum tipo de controle "inteligente" apesar da ausência de genes (Lipton, 1991).

Vinte anos se passaram desde que meu mentor Irv Konigsberg me orientou a analisar o ambiente quando as células estudadas adoecem, mas somente agora compreendo exatamente o que ele quis dizer. O DNA não controla a biologia e o núcleo não é o cérebro das células. Assim como eu e você, elas são moldadas pelo ambiente em que vivem. Então, finalmente entendi a célebre frase: é o ambiente, sua besta.

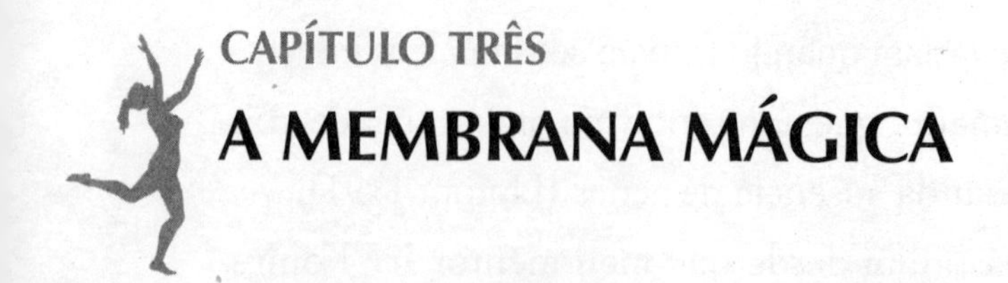

CAPÍTULO TRÊS

A MEMBRANA MÁGICA

Agora que conhecemos melhor o mecanismo das proteínas, desbancamos o conceito de que o núcleo das células é o cérebro e o centro de suas funções vitais e reconhecemos o papel crucial do ambiente nesse processo, estamos prontos para a parte mais interessante: aquela que vai fazer todo o sentido em sua vida e mostrar como você pode modificá-la.

Este capítulo trata daquilo que considero o verdadeiro cérebro das células: a membrana. Quando você entender a estrutura e os processos físico-químicos da membrana das células, provavelmente também vai chamá-la de membrana mágica. Em inglês é até mais fácil fazer a associação entre as palavras *membrane* [membrana] e *brain* [cérebro], pois a pronúncia é parecida. Em minhas palestras, uso muito o trocadilho *magic mem-brain*. Quando entender o conceito mágico da membrana, que abordo neste capítulo, juntamente com o do universo maravilhoso da física quântica, no próximo, você vai me dar razão quanto ao fato de os jornais de 1953 terem dado manchetes totalmente erradas. O verdadeiro segredo da vida não está

na famosa dupla espiral, mas sim na compreensão dos mecanismos simples e elegantes da membrana mágica, que fazem com que o seu corpo transforme os sinais do ambiente em comportamento.

Quando comecei a estudar biologia celular em 1960, a idéia de que a membrana podia ser o "cérebro" da célula seria uma piada se fosse defendida. Devo concordar que naquela época os estudos sobre a membrana ainda eram praticamente inexistentes. Os cientistas a consideravam apenas uma espécie de pele simples e semipermeável de três camadas que envolvia o citoplasma. Pense em algo parecido com o plástico-bolha usado para fazer embalagens, porém apenas com buracos, sem bolhas.

Outra razão para que a ignorassem era o fato de ela ser muito fina (sete milionésimos de milímetro de espessura). Só pode ser vista por um microscópio eletrônico, criado depois da Segunda Guerra Mundial. Portanto, antes de 1950, os cientistas nem tinham como confirmar sua existência. Pensavam que o citoplasma se mantinha unido devido à sua consistência gelatinosa. Com os novos microscópios, descobriram que todas as células vivas têm uma membrana e que ela é composta de três camadas. No entanto, parecia ser uma estrutura tão simples que não chamou a atenção. Na verdade as três camadas escondem uma imensa complexidade.

Os biólogos celulares descobriram as grandes habilidades da membrana celular estudando os organismos mais primitivos do planeta: os procariontes. Os procariontes, que incluem as bactérias, consistem numa membrana celular envolvendo uma minúscula gota de citoplasma denso. Embora seja uma forma tão primitiva de vida, tem função específica. Bactérias não vagam pelo mundo como bolas de pingue-pongue, jogadas de um lado para o outro. Executam os

mesmos processos biológicos que as células mais complexas. Ingerem, digerem, respiram, excretam e possuem até mesmo um sistema "neurológico". Percebem onde estão os alimentos e vão em direção a eles. Além disso, são capazes de reconhecer toxinas e predadores e utilizam manobras de fuga para salvar sua vida. Ou seja, até os procariontes possuem inteligência!

Mas de qual parte de sua estrutura vem essa "inteligência"? O citoplasma dos procariontes não possui as organelas encontradas nas células mais desenvolvidas como as eucariontes, que têm núcleo e mitocôndria. A única estrutura organizada que poderia ser considerada "cérebro" nos procariontes é a membrana.

PÃO, MANTEIGA, AZEITONAS E PIMENTÃO

Quando percebi que ter membrana é uma característica de vida inteligente, passei a estudar mais detalhadamente sua função e estrutura. Criei um lanchinho gostoso (brincadeirinha) para ilustrar a estrutura básica de uma membrana celular. Na verdade, é um sanduíche simples de pão com manteiga, mas para tornar a analogia mais completa, resolvi adicionar azeitonas de dois tipos: as simples, furadas no meio e as recheadas com pimentão. Quem sabe cozinhar, por favor, não faça cara feia. Essa guloseima já faz parte de meu curso. Quando não a menciono, meus alunos ou a platéia sentem até falta!

Vejamos então como funciona a "membrana de sanduíche". Faça um sanduíche simples de pão com manteiga (sem azeitonas) para representar uma parte da membrana celular. Despeje sobre ele uma colher (de chá) de corante.

Como pode se ver na ilustração seguinte, o corante atravessa o pão, mas pára ao chegar na camada de manteiga, pois a substância oleosa age como uma barreira.

Vamos fazer outro sanduíche de pão com manteiga, desta vez enfiando as azeitonas furadas e as recheadas na camada de manteiga. Se despejarmos corante sobre a fatia de pão e cortarmos o sanduíche ao meio para ver o que aconteceu em seu interior, veremos que o resultado é diferente. Quando o corante chega às azeitonas recheadas, pára da mesma maneira que parou na manteiga, mas

atravessa facilmente o furo das azeitonas sem recheio, passa pela outra fatia de pão e desce até o prato.

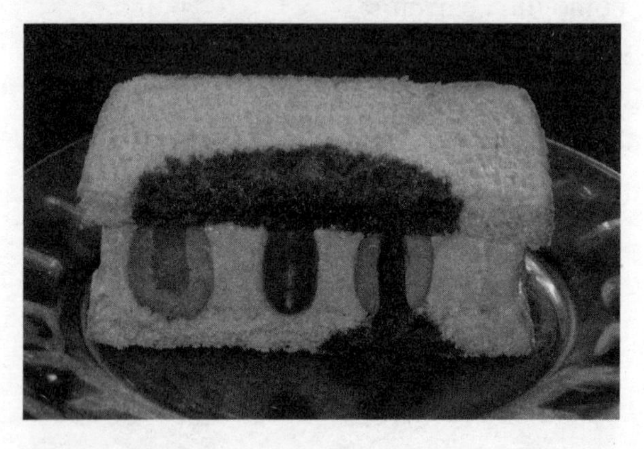

O prato representa o citoplasma da célula. Ao passar pela azeitona, o corante consegue atravessar a barreira de manteiga e chega ao outro lado da "membrana".

É importante para as células que as moléculas consigam atravessar essa barreira. Usando ainda o exemplo do sanduíche, o corante representa o alimento que mantém as células vivas. Se a membrana fosse um sanduíche simples de pão com manteiga, o

recheio formaria uma barreira intransponível que impediria a vasta gama de sinais de energia molecular que compõem o ambiente de atravessá-las e de interagir com elas. Morreriam então, pois não receberiam nutrientes. Ao adicionarmos as azeitonas furadas, permitindo que as informações e os alimentos penetrem na célula, reproduzimos o sistema da membrana, um mecanismo engenhoso e vital que permite a entrada de nutrientes selecionados em seu interior.

A manteiga do sanduíche representa os fosfolipídios da membrana, um de seus principais componentes (apresentarei mais adiante o componente "azeitona"). Costumo chamar os fosfolipídios de "esquizofrênicos" porque são compostos tanto de moléculas polares quanto não-polares.

Você deve estar se perguntando qual a relação entre as duas coisas, certo? Mas ela existe. Todas as moléculas de nosso universo podem ser classificadas em polares e não-polares, dependendo do tipo de elemento químico que une seus átomos. A carga positiva ou negativa de cada uma delas estabelece essa polaridade e faz com que elas funcionem como ímãs, atraindo ou repelindo umas às outras.

Moléculas de água e de tudo o que se dissolve em água são polares. Já as de óleo e de todas as substâncias que se dissolvem em óleo são não-polares. Não há cargas positivas ou negativas entre seus átomos. Lembra-se do velho princípio de que água e óleo não se misturam? Pois o mesmo se aplica às moléculas polares de água e as não-polares de óleo. Para visualizar a ausência de interação entre as duas, pense em um vidro de molho italiano de salada. O óleo e o vinagre se misturam quando o sacudimos, mas se separam assim que o colocamos sobre a mesa. Isso ocorre porque, assim como as pessoas, as moléculas preferem ambientes que lhes tragam estabilidade. Por isso, as moléculas polares do vinagre vão sempre em direção a ambientes polares (de água) ao passo que as não-polares do óleo procuram o ambiente não polar. Já as moléculas fosfolipídicas, que possuem regiões de lipídios polares e não-polares, têm dificuldade em procurar ambientes estáveis. A parte de fosfato de sua constituição procura a água enquanto a parte lipídica, que não combina com ela, procura um ambiente estável onde possa se dissolver em óleo.

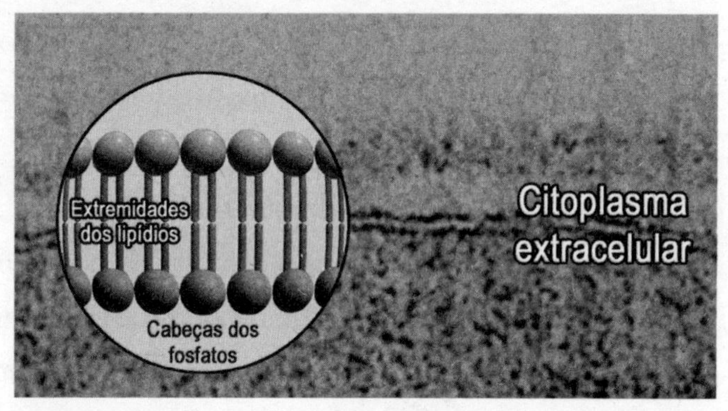

O micrografia acima mostra a membrana da célula na superfície de uma célula humana. As camadas claras e escuras da membrana da célula são o resultado da organização das moléculas fosfolipídicas (no lado interno). O centro mais claro, equivalente à manteiga do sanduíche, representa a zona hidrofóbica formada pelas extremidades dos fosfolipídios. As camadas escuras acima e abaixo da zona lipídica central, que equivalem às fatias de pão, representam as cabeças do fosfato (que adora água) na célula.

Voltando ao sanduíche, os fosfolipídios têm formato parecido com o de um pirulito, só que com dois palitos (veja a ilustração). A parte redonda do pirulito tem cargas polares entre seus átomos e corresponde ao pão do nosso sanduíche. Já a parte dos dois palitos não tem polaridade e corresponde à manteiga. Como essa "manteiga" não tem polaridade, os átomos e moléculas com carga negativa ou positiva não passam por ela. Na verdade, esse centro lipídico

funciona como isolante, o que evita que a célula seja bombardeada por todos os tipos de molécula do ambiente ao seu redor.

Mas a célula não sobreviveria se a membrana fosse igual à do sanduíche simples de pão com manteiga. A maior parte de seus nutrientes é formada por moléculas polarizadas, e elas jamais conseguiriam atravessar uma barreira desse tipo. E a célula também não conseguiria expelir seus dejetos polarizados.

PROTEÍNA INTEGRAL DE MEMBRANA

As azeitonas de nosso sanduíche são a parte mais engenhosa da membrana. Essas proteínas permitem que os nutrientes, dejetos e outras formas de "informação" sejam transportados por ela. As "azeitonas" de proteína permitem não apenas que as moléculas antigas penetrem na células mas também aquelas necessárias ao funcionamento adequado do citoplasma. Em meu sanduíche, elas representam Proteínas Integrais de Membrana – PIMs [ou IMPs – *Integral Membrane Proteins*, em inglês]. Essas proteínas penetram na camada de "manteiga" da membrana assim como as azeitonas das ilustrações.

Como elas fazem isso? Lembre-se de que proteínas são compostas de uma espinha dorsal linear formada por aminoácidos. De cada 20 aminoácidos, uma parte tem polaridade (e prefere a água) e os outros são sem polaridade e hidrofóbicos. A parte da espinha dorsal composta de aminoácidos hidrofóbicos procura estabilidade em ambientes oleosos como a camada lipídica (veja a seta na ilustração seguinte) e por isso vai para a camada do meio da membrana. Como algumas regiões da espinha dorsal das proteínas são compostas

de aminoácidos e outras não têm polaridade, o filamento de proteína acaba atravessando o pão e a manteiga do sanduíche.

Há vários tipos de PIMs, todos com nomes diferentes, mas que podem ser subdivididos em duas classes funcionais: proteínas receptoras e proteínas executoras. As PIMs receptoras são os órgãos sensoriais das células, equivalentes a nossos olhos, orelhas, nariz, papilas gustativas etc. Funcionam como "nanoantenas", prontas a reagir aos sinais do ambiente. Algumas dessas proteínas integrais receptoras vão da superfície da membrana para a o interior da célula para monitorá-lo enquanto outras voltam-se para o exterior para captar sinais externos.

Algumas receptoras reagem a sinais físicos. Um exemplo é o da receptora de estrogênio, desenvolvida especificamente para complementar a forma e a distribuição de carga de uma molécula dessa substância. Quando há moléculas próximo das receptoras, elas se fixam nele como um ímã em um clipe de papel. Estabelecido o "vínculo" e a união completa, a carga eletromagnética da receptora se modifica e a proteína passa a ter configuração ativa.

O mesmo ocorre com as receptoras de histamina, que se adaptam e complementam o formato das moléculas de histamina. As receptoras de insulina complementam o formato das moléculas de insulina, e assim por diante.

As "antenas" receptoras também captam campos de energia vibracional como luz, sons e freqüências de rádio. As antenas dessas receptoras de "energia" vibram como diapasões. Se uma vibração de energia no ambiente fizer vibrar uma antena receptora, isso vai alterar a carga da proteína, fazendo com que a receptora mude seu formato (Tsong, 1989). Tratarei desse assunto com mais detalhes no próximo capítulo. Só desejo explicar que, devido ao fato de as receptoras serem capazes de captar campos de energia, o conceito de que apenas as moléculas físicas têm ação sobre a fisiologia celular é obsoleto. O comportamento biológico pode ser controlado por forças invisíveis, incluindo o pensamento, e também por moléculas físicas como a penicilina, o que serve de base científica para o desenvolvimento de medicamentos energéticos que não envolvem produtos farmacêuticos.

As proteínas receptoras desenvolvem um trabalho importante, mas não afetam sozinhas o comportamento da célula. Captam os sinais do ambiente para que ela possa decidir qual a melhor reação e comportamento para sua sobrevivência, mas precisam do complemento das proteínas executoras. Agindo em conjunto, as receptoras e executoras formam um mecanismo de resposta a estímulos comparável aos reflexos humanos que os médicos testam durante os exames físicos. Quando um médico bate em seu joelho com aquele martelinho, o nervo sensório capta o sinal e transmite a informação a um nervo motor, que faz a perna levantar. As proteínas receptoras equivalem a nervos sensoriais, e as executoras a nervos motores. Juntas, agem como um interruptor que traduz os sinais do ambiente e coordena o comportamento da célula.

Somente nos últimos anos os cientistas perceberam a importância das PIMs. Seu estudo acabou se tornando um campo específico da ciência chamado "transdução de sinais". Os estudiosos deste ramo estão trabalhando arduamente para classificar as centenas de ramificações complexas de informações que existem entre a captação de sinais do ambiente e a ativação das proteínas que regulam o seu comportamento. Aos poucos, a membrana está ocupando lugar de destaque na ciência, assim como o campo da epigenética, que enfatiza o papel das proteínas dos cromossomos.

Há diversos tipos de proteínas executoras, pois são várias as tarefas que precisam ser realizadas para que haja um perfeito funcionamento da célula. Transportar proteínas, por exemplo, envolve o trabalho de uma grande família de proteínas de canal que transferem as moléculas e as informações de um lado da barreira para o outro, o que nos faz pensar nos pimentões do sanduíche de manteiga e azeitonas. Muitas proteínas de canal têm o formato de uma esfera levemente curva, semelhante à das azeitonas das ilustrações (veja a figura da p. 94). Quando a carga elétrica de uma proteína é alterada, ela muda seu formato e nesse processo um canal é aberto em seu interior. Proteínas de canal podem ser, na verdade, duas azeitonas em uma, dependendo de sua carga elétrica. Quando estão no modo ativo, sua estrutura lembra a de uma azeitona furada, mas sem o recheio de pimentão. Já no modo inativo, assemelham-se às azeitonas recheadas que ficam sempre fechadas ao mundo exterior à célula.

A atividade de um tipo específico de proteína de canal, a ATPase de sódio-potássio, merece atenção especial. Cada célula tem milhares de canais em sua membrana. Sua atividade diária consome quase metade da energia de seu corpo. Esses canais se abrem e se fecham com tanta freqüência que mais parecem aquelas portas giratórias de lojas em época de liquidação. Toda vez que esses canais giram, transportam três átomos de sódio de carga positiva para fora do citoplasma e dois átomos de potássio com carga positiva do ambiente para dentro da célula.

A ATPase de sódio-potássio não apenas consome mas também cria muita energia, exatamente como as baterias dos *Game Boys* (claro, até as crianças os destruírem). Na verdade, a atividade de produção de energia desta ATPase é bem melhor que as baterias, pois transforma a célula em uma bateria biológica que se recarrega continuamente.

Vejamos como ela faz isso. Cada giro da ATPase de sódio-potássio faz mais carga positiva sair do que entrar na célula, e cada célula possui milhares delas. Como seu ciclo de giros ocorre centenas de vezes por segundo, o interior das células torna-se negativo enquanto sua superfície externa torna-se positiva. A carga negativa abaixo da membrana é chamada de potencial da membrana. Claro, os lipídios (manteiga) impedem que átomos carregados ultrapassem a barreira, o que faz com que a carga interna se mantenha negativa. Esse equilíbrio entre as cargas positiva externa e negativa interna transforma a célula em uma bateria de auto-recarga que impulsiona os processos biológicos.

Outra variedade de proteínas executoras, as proteínas citoesqueletais, regulam o formato e a mobilidade das células. Uma

terceira variedade chamada enzima é responsável pela quebra ou síntese das moléculas. Por isso as farmácias vendem produtos à base de enzimas para ajudar a digestão. Quando ativadas, todas as formas de proteínas executoras, incluindo as de canal, citoesqueletais e enzimas e seus subprodutos funcionam como sinais que ativam os genes. Estes sinais controlam as ligações das proteínas reguladoras dos cromossomos, formando uma "manga" ao redor do DNA. Ao contrário do que se acreditava até hoje, os genes não controlam sua própria atividade. São as proteínas executoras da membrana que reagem aos sinais do ambiente, captados pelos receptores, controlando a "leitura" dos genes para que as proteínas desgastadas sejam substituídas ou que novas proteínas possam ser criadas.

COMO FUNCIONA O CÉREBRO

Quando entendi como as PIMs funcionam, concluí que as funções das células são geradas por sua interação com o ambiente, não com seu código genético. Não há dúvida de que os padrões de DNA armazenados no núcleo sejam moléculas de grande importância, pois foram acumuladas durante mais de três bilhões de anos de evolução. Porém, não são elas que "controlam" as funções da célula. Os genes não podem pré-programar uma célula ou a vida dos organismos porque a sobrevivência das células depende de sua habilidade de se ajustar dinamicamente às variações do ambiente.

O fato de a membrana interagir de maneira "inteligente" com o ambiente para alterar o comportamento da célula mostra que ela é realmente o seu cérebro. Vejamos o que acontece quando

submetemos este "cérebro" ao mesmo teste que realizamos com o núcleo. Quando se destrói a membrana, a célula morre, exatamente o que ocorre com seres humanos quando se remove seu cérebro. Ainda que a mantenhamos intacta, o simples fato de destruirmos suas proteínas receptoras, o que pode ser facilmente feito com enzimas em um laboratório, produz um estado de "morte cerebral". A célula entra em comatose porque deixa de receber os sinais necessários às suas funções básicas de sobrevivência. O mesmo ocorre se mantivermos as proteínas receptoras intactas, mas imobilizarmos as proteínas executoras.

Para que as células possam manter suas funções "inteligentes", tanto as proteínas receptoras (consciência) quanto as executoras (ação) da membrana precisam funcionar perfeitamente. Estes complexos de proteínas, também chamados unidades de "percepção", são fundamentais para a vida das células. A definição de percepção é: "consciência dos elementos do ambiente por meio das sensações físicas". A primeira parte dessa definição descreve a função das PIMs. A segunda parte, criação de "sensações físicas", descreve o papel das proteínas executoras.

A atividade que acabamos de realizar, dividindo e estudando cada parte da célula, chama-se exercício reducionista. É importante lembrar que as células possuem centenas de milhões de interruptores ou chaves em sua membrana. Conseqüentemente, seu comportamento não pode ser determinado observando-se apenas alguns destes pequenos componentes. Deve-se levar em conta todo o conjunto. Ao fazer isto utilizamos um método chamado holístico, e não o reducionista (estudar partes individuais). Tratarei disso com mais detalhes no Capítulo 4.

Em nível celular, a história da evolução é basicamente o ato de maximizar o número de unidades básicas de "inteligência" das proteínas receptoras e executoras da membrana. As células ficam mais inteligentes à medida que utilizam de maneira mais eficiente a camada externa de suas membranas e expandem sua superfície para que mais PIMs possam ser absorvidas. Em organismos procariontes primitivos as PIMs desempenham funções fisiológicas básicas como digesão, respiração e excreção. Em indivíduos mais desenvolvidos, as partes da membrana que desempenham essas funções fisiológicas se localizam no lado de dentro, formando as organelas da membrana, características de citoplasmas eucarióticos. Isso faz com que maiores áreas da superfície da membrana fiquem disponíveis para o aumento do número de PIMs responsáveis pela percepção. Além disso, os eucariontes são centenas de vezes maiores que os procariontes, resultando em um aumento ainda maior da membrana. O resultado é maior consciência e percepção, o que se traduz em maiores chances de sobrevivência.

A membrana das células aumentou com a evolução, mas há um limite para esta expansão. Houve um momento em que a fina membrana celular não conseguia mais manter um citoplasma tão grande. Pense no que acontece quando se enche um balão com água. Enquanto ele não se enche totalmente, sua superfície se mantém resistente, mas quando se excede sua capacidade ele se rompe com facilidade. O mesmo ocorre com membranas que contêm excesso de citoplasma. Quando as membranas das células começaram a atingir um tamanho crítico, sua evolução se interrompeu. É por esse motivo que durante três bilhões de anos as células foram os únicos organismos vivos neste planeta. A situação só se modificou

quando elas encontraram outra maneira de expandir sua consciência. Como não podiam mais se expandir, começaram a se unir e formar comunidades multicelulares para compartilhar sua consciência, como expliquei no Capítulo 1.

Em suma, as funções que mantêm uma única célula viva são as mesmas que mantêm a comunidade inteira. Mas as células começaram a se especializar quando formaram esses organismos multicelulares e estabeleceram a divisão de trabalho. Pode-se perceber claramente essa divisão em tecidos e órgãos com funções específicas. Por exemplo: em células únicas, a respiração é executada pelas mitocôndrias. Já em organismos multicelulares essa função é desempenhada pelos bilhões de células de mitocôndrias do pulmão. Outro exemplo: na célula única, o movimento é gerado pela interação das proteínas de citoplasma chamadas actinas e miosinas. Em organismos multicelulares há comunidades de células musculares (que também contêm grandes quantidades de actinas e miosinas) responsáveis exclusivamente por gerar mobilidade.

Repito esta informação que já havia mencionado no primeiro capítulo para enfatizar que, enquanto a função da membrana em uma única célula é estar consciente do ambiente e gerar uma reação apropriada, em nosso corpo essa função é desempenhada por um grupo de células especializadas a que chamamos sistema nervoso.

Embora já tenhamos evoluído muito desde que o mundo era habitado apenas por organismos unicelulares, acredito que o estudo das células facilita muito a compreensão do funcionamento dos complexos sistemas multicelulares. Até mesmo órgãos mais sofisticados como o cérebro humano podem ser estudados com mais facilidade quando se conhece o mecanismo do cérebro das células, ou seja, a membrana.

O SEGREDO DA VIDA

Como vimos neste capítulo, os cientistas já fizeram muito progresso no sentido de desvendar a complexidade de um sistema aparentemente simples como o da membrana. Vinte anos atrás, porém, suas funções básicas já eram conhecidas. Na verdade, vinte anos atrás percebi que estudar a membrana poderia trazer revelações surpreendentes. Meu momento de "eureca" foi parecido com a dinâmica de algumas soluções hipersaturadas da química. São soluções que parecem apenas água, mas que estão tão saturadas de substâncias dissolvidas que uma simples gota a mais pode causar uma reação enérgica e transformar a mistura em um grande cristal.

Em 1985, eu estava morando em uma casa alugada em uma ilha no Caribe lecionando numa escola de medicina. Eram duas horas da manhã e eu estava revendo todas as anotações sobre biologia, química e física a respeito da membrana celular que tinha feito nos últimos anos, em uma tentativa de encontrar uma ligação entre elas que me revelasse seu funcionamento. Foi então que um momento de vislumbre me transformou por completo, não em um cristal resultante de misturas hipersaturadas de laboratório, mas em um biólogo consciente do funcionamento da membrana que não tinha mais desculpas para não assumir o controle da própria vida.

Naquele instante, redefini toda a minha compreensão do funcionamento da organização estrutural da membrana. Comecei a visualizar todo o processo desde as moléculas fosfolipídicas em formato de pirulito, organizadas como soldados enfileirados em um desfile. Por definição, estruturas cujas moléculas se organizam em padrões regulares e repetidos são cristais. Há dois tipos básicos de cristal: o primeiro é o mineral como os diamantes, rubis e até mesmo o sal; o segundo tem estrutura mais fluida embora suas moléculas tenham o mesmo padrão organizado. Um exemplo bem conhecido é o do cristal líquido dos relógios digitais e das telas de *laptops*.

Para explicar melhor o conceito de cristal líquido, vamos usar novamente o exemplo dos soldados em uma parada militar. Ao virar em uma esquina, os soldados mantêm a estrutura e o ritmo do regimento mesmo que tenham de passar enfileirados, um a um. Movimentam-se como as moléculas do cristal líquido, sem perder a organização. As moléculas fosfolipídicas da membrana seguem o mesmo padrão. Sua organização fluida e cristalina permite flexibilidade de movimentos e de formato, porém sem perder a integração da estrutura, qualidade essencial para que a barreira interna se mantenha intacta. Portanto, para definir claramente a membrana, fiz a seguinte anotação: "A membrana é um cristal líquido".

Comecei então a associar o fato de que uma membrana que contivesse apenas fosfolipídios seria como o sanduíche de pão com manteiga sem as azeitonas. O corante não conseguiria atravessar a barreira de manteiga. Um sanduíche desse tipo não seria um condutor. No entanto, se adicionássemos as "azeitonas" de PIMs, poderíamos observar que a membrana é condutora de determinadas substâncias, mas impede a passagem de outras. Adicionei então outro comentário: "A membrana é um semicondutor".

Por fim, adicionei uma descrição dos dois tipos mais comuns de PIM, as receptoras e as executoras, chamadas de canais porque permitem às células receber nutrientes importantes e expelir dejetos. E já estava para fazer a anotação de que as membranas contêm "receptores e canais" quando outra imagem me veio à mente:

a de uma porta. Então, completei a descrição com a frase "as membranas contêm portas e canais".

Reli então a frase inteira: "A membrana é um semicondutor de cristal líquido com portas e canais".

O que me surpreendeu foi o fato de saber que tinha lido ou ouvido aquela mesma frase em algum lugar, mas não me lembrava onde. Só tinha certeza de que a frase que tinha ouvido não estava ligada à biologia.

Quando me reclinei na cadeira, a primeira coisa que me chamou a atenção foi meu novo Macintosh que estava sobre a mesa, meu primeiro computador. Ao lado dele estava um exemplar de capa vermelha do livro *Understanding your microprocessor* [Entenda seu microprocessador] que eu havia comprado em uma loja. Peguei o livro, comecei a folhear e encontrei, na introdução, a definição de um *chip* de computador: "Um *chip* é um semicondutor de cristal com portas e canais".

Fiquei ali parado, impressionado com a idéia de que um *chip* e a membrana de uma célula podem ter a mesma definição técnica. Passei mais alguns minutos mergulhado no livro, lendo e comparando biomembranas e semicondutores de silício. Fiquei ainda mais impressionado ao perceber que não se tratava de mera coincidência. A membrana celular tem realmente estrutura e funções equivalentes (homólogas) às de um *chip* de silício!

Doze anos depois, um grupo de pesquisadores da Austrália, liderado por B. A. Cornell, publicou um artigo no *Nature* confirmando minha hipótese de que a membrana das células é um homólogo de um *chip* de computador (Cornell *et al.*, 1997). Os pesquisadores isolaram a membrana de uma célula, colocaram uma pequena lâmina

de ouro sob ela e preencheram o espaço entre o metal e o tecido com uma solução especial de eletrólitos. Quando os receptores da membrana foram estimulados pelo sinal que receberam, os canais se abriram e permitiram a passagem da solução. O metal serviu como transdutor ou captador elétrico, convertendo a atividade elétrica do canal em um sinal digital que pôde ser lido em uma tela. Esse dispositivo, criado exclusivamente para a experiência, demonstrou que a membrana das células não só se parece como tem o mesmo funcionamento de um *chip*. Cornell e seus colegas conseguiram transformar uma membrana biológica em um *chip* leitor.

Mas você vai se perguntar: "e daí?" O fato de a membrana de uma célula e um *chip* de computador serem homólogos nos permite estudar e entender melhor a estrutura das células comparando-as aos dos microcomputadores. Além disso, leva-nos a concluir que elas são programáveis. A segunda descoberta é que o programador está fora da célula/computador. O comportamento biológico e a atividade genética estão dinamicamente ligados às informações do ambiente, que podem ser descarregadas (como um *download*) no interior da célula.

Ao imaginar um biocomputador, percebi que o núcleo é apenas um disco de memória, um disco rígido com a programação do DNA, que codifica a produção das proteínas. Podemos chamar essa estrutura de disco de memória de dupla espiral. Podemos inserir no *drive* de um computador um disco ou cartão de memória contendo diversos programas como processadores de texto, gráficos e tabelas. Após o *download*, podemos remover o disco sem interferir com o programa que estiver sendo utilizado. Remover o disco de memória de dupla espiral ou núcleo da célula não afeta o trabalho da proteína celular porque as informações que criaram a máquina de proteína já foram baixadas. Células enucleadas só apresentam problemas quando precisam do programa do gene gravado no disco de memória de dupla espiral para substituir proteínas desgastadas ou fabricar proteínas diferentes.

Toda a minha formação de biólogo, baseada na concepção de que o núcleo era o cérebro da célula (assim como a de Copérnico, de que a Terra era o centro do universo), foi abalada no momento em que descobri que o núcleo que contém os genes não é responsável pela programação da célula. Os dados são inseridos na célula/computador por meio dos receptores da membrana, que representam o "teclado" das células. Os receptores ativam as proteínas executoras, que agem como uma central de processamento de dados (CPU) da célula/computador. As proteínas "CPU" executoras convertem as informações do ambiente em linguagem comportamental biológica.

Percebi então, durante aquela noite, que, embora os cientistas ainda estivessem preocupados com o determinismo genético, as pesquisas sobre as células teriam continuidade, desvendando cada vez mais os mistérios da membrana mágica, o que cedo ou tarde acabaria mostrando outra realidade.

Mas naquele momento de transformação eu acabei me sentindo frustrado, pois não tinha com quem dividir minha alegria. Estava sozinho em um país distante. Minha casa não tinha telefone. Mas como estava em uma escola de medicina, lembrei-me de que provavelmente haveria alunos estudando na biblioteca. Troquei de roupa e corri para a faculdade, louco para contar às pessoas sobre minha descoberta.

Quando cheguei à biblioteca, sem fôlego e descabelado, parecia um paciente de hospital psiquiátrico. Vi um de meus alunos no outro lado da sala e corri até ele, gritando: "Eu tenho de lhe contar! Descobri uma coisa fascinante!" Lembro-me vagamente de como ele se afastou, assustado com a figura daquele cientista maluco indo em sua direção quebrando o silêncio da biblioteca. Vomitei sobre ele, de uma vez só, toda a minha descoberta usando o jargão polissilábico da biologia celular. Quando terminei, ele simplesmente ficou ali, olhando-me assustado. Esperava que fizesse um elogio ou pelo menos dissesse "parabéns", mas nada disso. Só conseguiu perguntar: "O senhor está bem, doutor Lipton?"

Fiquei arrasado. Ele não havia entendido uma só palavra. Claro, estava cursando o primeiro semestre da faculdade de medicina. Não tinha embasamento científico nem conhecia o vocabulário técnico que eu havia usado. Fiquei ainda mais decepcionado. Tinha desvendado o segredo da vida e ninguém me entendia! Na verdade nem mesmo meus colegas, versados no jargão da biologia celular, conseguiram. O conceito da membrana mágica era maluco demais para eles.

Mas fui amadurecendo a idéia e encontrei métodos mais simples para transmitir os conceitos, de maneira que meus alunos do primeiro ano pudessem entendê-los. E claro, dei continuidade às pesquisas. Aos poucos percebi que o assunto interessava não apenas aos médicos e cientistas, mas também ao público em geral. Cada vez mais pessoas queriam saber sobre as implicações espirituais do meu momento de "eureca". Concentrar meus estudos na biologia da membrana celular foi uma mudança de foco fascinante para mim, mas não a ponto de me fazer entrar gritando em uma biblioteca.

Aquele instante de glória no Caribe não fez apenas com que eu me tornasse um estudioso das funções da membrana; me fez passar de cientista agnóstico a místico e a acreditar que a vida eterna está muito além do corpo.

Vou tratar com mais detalhes do aspecto espiritual de minha descoberta no Epílogo. Por enquanto, vamos rever os conceitos sobre a membrana mágica, que nos ensina que o controle de nossa vida não depende de sorte ou das características estabelecidas no momento da concepção, mas sim de nós mesmos. Somos os senhores de nossa biologia; administradores do programa de processamento. Temos a habilidade de editar os dados que entram em nosso biocomputador, assim como todas as palavras que são digitadas. Quando entendermos como as PIMs controlam a biologia, deixaremos de ser meras vítimas de nossos genes para nos tornar senhores de nosso destino.

CAPÍTULO QUATRO

A NOVA FÍSICA: COMO PLANTAR FIRMEMENTE OS PÉS NO AR

Quando eu era um simples, mas ambicioso estudante nos anos 1960 sabia que, se quisesse entrar em uma boa faculdade de biologia, teria de estudar mais física. Meu curso colegial tinha uma matéria chamada física 101, que abordava aspectos básicos como gravidade, eletromagnetismo, acústica, polias e planos inclinados, tudo muito simples e fácil de compreender. Eu também podia optar por outra, chamada física quântica, mas quase todos os alunos a evitavam como se fosse uma doença. Parecia ser envolta em um tipo de mistério, com tópicos estranhos que ninguém pensava em estudar. Achávamos que somente os masoquistas, idiotas ou quem realmente tivesse talento suficiente para ser físico estudaria uma matéria que tem como premissa básica um conceito como: "Você está vendo este objeto? Agora não está vendo mais".

A única coisa que talvez me fizesse estudar aquela matéria era o fato de todo mundo dizer que seus alunos tinham certo *status* em festas. Naquela época em que Sonny e Cher faziam sucesso, era fácil impressionar as garotas dizendo: "Oi, eu estudo física quântica. Qual o seu signo?". Mas eu mesmo nunca vi alunos de

física quântica em festas (ou em qualquer outro lugar). Eles provavelmente não tinham muito tempo para sair.

Então, avaliando os prós e os contras, acabei optando pela matéria física 101. Meu objetivo era ser biólogo e não tinha o menor interesse em ficar estudando e decorando regras sobre bósons e quarks. Na verdade, nenhum aspirante a biólogo dava atenção ao assunto.

Com isso, a maioria dos formandos em minha área conhecia muito pouco sobre os princípios da física mais completa, que envolve equações e matemática. Estudamos um pouco sobre a gravidade (objetos mais pesados tendem a afundar enquanto os mais leves flutuam), a luz (pigmentos de plantas, como a clorofila, da retina dos animais, como a rodopsina, absorvem as cores da luz e são "cegas" para as demais) e conhecíamos até alguns princípios sobre temperatura (temperaturas elevadas desativam as moléculas biológicas fazendo com que "derretam" e temperaturas mais baixas as congelam e preservam). Claro, posso estar exagerando um pouco, mas é certo que os biólogos não conhecem física de verdade.

Mas devido a essa falta de conhecimento sobre o assunto, e assim mesmo duvidando da biologia centrada no núcleo das células, eu não conseguia entender as implicações da questão. Sabia que as proteínas da membrana dependiam de sinais do ambiente para gerar reações na célula, mas como não tinha conhecimento sobre o universo quântico não era capaz de desvendar esses sinais.

Somente em 1982, mais de uma década depois de me graduar, é que descobri quanto perdi ao deixar de estudar física quântica. Se tivesse escolhido essa matéria com certeza teria me tornado um desertor da biologia bem antes. Mas lá estava eu, em 1982, sentado no chão de um depósito em Berkeley, na Califórnia, a quilômetros de

casa e totalmente arrependido de ter jogado para o alto minha carreira científica para produzir um show de rock. Todos nós na banda estávamos com o mesmo problema: não tínhamos um centavo no bolso mesmo depois de seis shows seguidos. Quando tentavam passar meu cartão de crédito nos leitores das lojas, a tela mostrava o desenho de um crânio com dois grandes ossos cruzados atrás. Vivíamos de café e salgados e a cada show víamos nossa carreira musical ir por água abaixo. Passamos por todos os estágios descritos pela famosa psiquiatra suíça Elisabeth Kübler-Ross: negação, raiva, barganha, depressão e aceitação (Kübler-Ross, 1997). Em nosso momento mais profundo de aceitação, o silêncio daquele depósito escuro de concreto foi quebrado apenas pelo toque estridente de um telefone. Parecia um som muito distante, que nem chamava nossa atenção. A ligação não seria para nós, afinal, ninguém sabia que estávamos ali.

Até que finalmente o gerente do depósito veio atender e o barulho irritante parou. Ouvíamos apenas a voz do gerente respondendo "sim, ele está". Saí então das profundezas de meu ser e do fundo do poço em que me encontrava para olhar na direção do telefone. Era o presidente do corpo diretivo da escola de medicina no Caribe, onde eu havia lecionado dois anos antes. Estava havia dois dias me procurando e telefonando para todos os lugares pelos quais eu havia passado, de Wisconsin à Califórnia. Perguntou se eu estava interessado em lecionar anatomia novamente.

Se eu estava interessado? Já viu um cachorro recusar carne fresca? "Quando eu começo?", perguntei. "Ontem", respondeu ele. Disse então que precisava de um adiantamento. Fizeram o depósito no mesmo dia e eu me despedi da banda. Peguei o primeiro avião para Madison, fui apanhar algumas roupas, despedir-me de minhas

filhas e de lá embarquei para os trópicos. Em menos de 24 horas estava no Aeroporto de O'Hare fazendo uma pequena conexão para o Jardim do Éden.

Mas você deve estar se perguntando o que o fracasso de minha carreira no mundo do *rock n' roll* tem que ver com física quântica. Tudo bem, meu estilo de apresentação de conteúdo científico não é exatamente ortodoxo...

Retomando de onde parei, agora em estilo mais linear de pensamento, descobri que os cientistas jamais conseguirão entender os mistérios do universo utilizando apenas o raciocínio linear.

A VOZ INTERIOR

Enquanto esperava o avião, lembrei que teria cinco horas de viagem pela frente e nem sequer uma revista para ler. Como faltavam apenas alguns minutos para o embarque, corri até a livraria do aeroporto. Então, em meio ao desespero de ter que escolher um livro, correndo o risco de perder o avião, um exemplar de *The cosmic code: quantum physics as the language of nature* [O código cósmico: física quântica como linguagem da natureza], do físico Heinz R. Pagels (Pagels, 1982), pulou em minhas mãos. Li rapidamente a contracapa e vi que se tratava de um livro de física quântica para leigos. Claro, o condicionamento e a fobia da época de colégio me fizeram colocá-lo imediatamente de volta à estante.

Peguei um clássico da literatura e fui direto ao caixa. Mas, enquanto o rapaz passava o livro pelo leitor ótico, vi outro exemplar do "O código cósmico" na prateleira atrás dele. Então, enquanto abria a carteira e olhava o relógio para ver quantos minutos ainda

tinha, consegui superar minha velha aversão à física quântica e pedi a ele para pegar o exemplar ali atrás também.

Já no avião, recuperando-me da dose extra de adrenalina da corrida até a livraria, peguei uma revista de palavras cruzadas, resolvi algumas e só depois abri o livro de Pagels. Não consegui mais parar de ler. Mesmo tendo de voltar algumas páginas de vez em quando para reler várias vezes e entender a teoria, passei o vôo todo – as três horas de espera pela conexão em Miami e as cinco horas do segundo vôo – até minha ilha paradisíaca mergulhado no material!

Antes de embarcar em Chicago, não fazia a menor idéia do que era física quântica nem de sua importância para a biologia. Quando o avião chegou ao Caribe, eu estava em estado de choque intelectual. Finalmente, entendia a relação entre as duas áreas da ciência e percebia o grande erro dos biólogos ao subestimar as leis da física. Seguindo ultrapassados modelos newtonianos, deixamos de ampliar nossos horizontes e não percebemos que a física quântica é a base de todas as ciências. Presos ao mundo físico de Newton, ignoramos o mundo quântico e invisível de Einstein, no qual a matéria é constituída de energia e não há limite absoluto. Em nível atômico, nem se pode afirmar com certeza que a matéria existe; há apenas uma tendência de que isso possa acontecer. Todos os meus conceitos e certezas sobre a biologia e a física tinham ido por terra!

Hoje, quando penso em tudo isso, não entendo como eu e todos os biólogos nunca paramos para pensar que a física newtoniana, tão elegante e segura para nosso raciocínio hiper-racional, não explica sequer os mecanismos do corpo humano em detalhes, quanto mais os do universo! A ciência avança a cada dia, mas ainda conhece muito pouco sobre os organismos. Apesar de todas as descobertas,

a mecânica dos sinais químicos, incluindo os hormônios, as citocinas (hormônios que controlam o sistema imune), os fatores de crescimento e de supressão tumoral, ainda não se explicam os fenômenos paranormais. Curas espontâneas, fenômenos psíquicos, demonstrações de força e resistência além do normal, habilidade de caminhar sobre carvão em brasa sem se queimar, agulhas de acupuntura que diminuem a dor manipulando a energia *chi* do corpo e muitos outros fenômenos desafiam a biologia newtoniana.

Claro, eu mesmo jamais pensei em tudo isso enquanto estudava e lecionava nas faculdades. Meus colegas e eu ensinávamos os alunos a ignorar métodos como acupuntura, quiropraxia, massagem terapêutica, orações etc. Na verdade, fazíamos até pior. Chamávamos esses profissionais de charlatões porque estávamos cegamente vinculados à física newtoniana, mas essas modalidades de cura baseiam-se na crença de que os campos de energia influenciam e controlam nossa fisiologia e nossa saúde.

A ILUSÃO DA MATÉRIA

Somente quando comecei a aceitar os princípios da física quântica percebi que, ao ignorar tão altivamente esses conceitos que envolvem a questão da energia, nós, biólogos, agimos exatamente como um diretor do Departamento de Física da Universidade de Harvard que Gary Zukav menciona em seu livro *A dança dos mestres Wu Li: uma visão geral da nova física*. Ele disse a seus alunos em 1893 que não havia mais necessidade de existir doutores em física (Zukav, 1979). Segundo ele, a ciência já havia estabelecido que o universo é uma "máquina de matéria" constituída de átomos físicos

individuais que obedecem às leis da mecânica newtoniana. Agora só cabia aos físicos refinar seus métodos de medição.

Mas, três anos depois, o conceito de que o átomo era a menor partícula no universo caiu por terra com a descoberta de que ele é constituído de elementos ainda menores, os chamados partículas subatômicas. Com essa outra descoberta ainda mais contundente: a de que os átomos emitem "energias estranhas", como raios X e radioatividade. Na virada do século 20, uma nova geração de físicos se propôs a mostrar a relação entre energia e estrutura da matéria. Dez anos mais tarde, deixaram de lado os conceitos newtonianos do universo material porque perceberam que o universo não é composto de matéria suspensa no espaço vazio, mas sim de energia.

A física quântica descobriu que os átomos físicos são constituídos de vórtices de energia que giram e vibram constantemente. Cada átomo é um centro que gira e irradia energia e cada um deles tem uma assinatura (movimento) e constituição (moléculas) próprios. Por isso emitem coletivamente padrões de energia que podem ser identificados. Todo material no universo, incluindo você e eu, irradiamos uma assinatura energética única.

Se fosse possível observar a composição de um átomo por meio de um microscópio, o que veríamos? Imagine um vórtice de energia girando e se movendo na areia do deserto. Agora remova a areia. O que sobra é apenas um tornado invisível. Um átomo nada mais é que um conjunto desses vórtices microscópicos. Se observado de longe, parece uma esfera embaçada. À medida que aproximamos o foco, a imagem se torna cada vez mais indefinida até desaparecer totalmente. Na prática, o átomo é invisível. Quando se observa sua estrutura, o que se vê é apenas vácuo. Não há matéria física. Surpreso?

Lembra-se daqueles modelos de átomos que estudávamos na escola, com bolinhas de gude e rolimãs representando o sistema solar? Vamos compará-los com a estrutura "física" do átomo descoberta pela física quântica. Não, não se trata de um erro de impressão. Os átomos são feitos de energia invisível, e não de matéria palpável!

Em nosso mundo, a substância (matéria) surge do nada. Parece estranho, não? Afinal, você está segurando um livro bem sólido nas mãos. Mas se colocá-lo sob a lente de um microscópio atômico verá que não está segurando coisa alguma. Se pensarmos bem, os alunos de biologia não estão errados ao achar que o universo quântico é estranho.

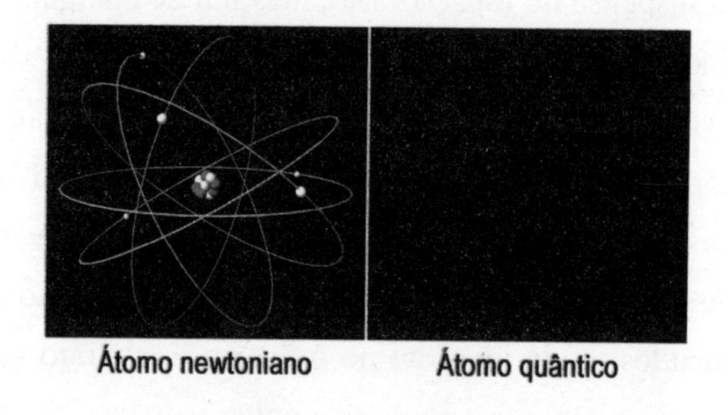

Átomo newtoniano Átomo quântico

Vejamos como funciona esta questão de "existe, não existe" da física quântica. A matéria pode ser definida tanto como um conjunto de partículas sólidas quanto como um campo (onda) de força não-material. Quando os cientistas estudam as propriedades físicas dos átomos, como massa e peso, referem-se a eles como matéria física. No entanto, quando os mesmos átomos são descritos em termos de potencial de voltagem e extensões de onda são chamados de propriedades da energia (ondas) (Hackermüller *et al.*, 2003; Chapman *et al.*, 1995; Pool, 1995). O fato de que energia e matéria são a mesma coisa

é o que Einstein concluiu ao dizer que $E=mc^2$. Ou seja: energia (E) = matéria (m, massa) multiplicada pela velocidade da luz (c) ao quadrado. Einstein revelou que não vivemos em um universo de objetos físicos separados por espaço vazio. O universo é um ser completo, dinâmico e indivisível no qual energia e matéria estão tão intimamente ligadas que não se pode considerá-las elementos independentes.

NÃO SÃO EFEITOS COLATERAIS... SÃO EFEITOS!

A descoberta de que mecanismos tão diferentes controlam a estrutura e o comportamento da matéria poderia ajudar a biomedicina a conhecer melhor a saúde e as doenças. No entanto, médicos, biólogos e alunos continuam a ser treinados a ver o corpo simplesmente como uma máquina física que opera dentro dos princípios newtonianos. Na ânsia de descobrir os mecanismos que "controlam" o corpo, os pesquisadores focaram sua atenção em uma série de sinais físicos classificados em famílias químicas, incluindo alguns hormônios como a citocina, os fatores de crescimento, os supressores tumorais, mensageiros e íons. Como, porém, ainda seguem a linha newtoniana, acabaram ignorando a importância da energia quando se trata de saúde e das doenças.

Além disso, a maioria dos biólogos é reducionista, ou seja, acredita que os mecanismos de nosso corpo físico podem ser mais bem compreendidos extraindo células e estudando seus elementos químicos. Acreditam que as reações biológicas responsáveis pela vida são geradas como a linha de produção de Henry Ford: um elemento químico causa uma reação, que por sua vez causa outra em

outro elemento, e assim por diante. A ilustração seguinte mostra o fluxo linear de informações de A para B, para C, para D e para E.

O modelo reducionista sugere que, se há um problema no sistema, como uma doença ou disfunção, a fonte do problema pode ser atribuída ao mau funcionamento de um dos pontos da linha de montagem química. "Repor" então a peça defeituosa por meio de medicamentos, por exemplo, teoricamente faz com que a saúde do paciente se recupere. Esse conceito estimula a pesquisa da indústria farmacêutica em busca de drogas mágicas e genes perfeitos.

No entanto, a perspectiva quântica revela que o universo é uma integração de campos de energia integrados e interdependentes. Os cientistas biomédicos acabam ficando confusos, pois não conseguem entender a complexidade da intercomunicação entre as partes físicas e os campos de energia que compõem a matéria. A percepção reducionista de fluxo linear de informações é uma característica do universo newtoniano.

Mas o fluxo de informações do universo quântico é *holístico*. A estrutura das células está envolta em uma complexa rede de comunicação simultânea e abrangente (veja a ilustração da próxima página). Uma função biológica pode surgir de um pequeno problema de comunicação em qualquer ponto da rede de informações. Equilibrar ou ajustar a química desse complicado sistema interativo exige compreensão de seu funcionamento, e não uma simples tentativa de ajuste por intermédio de medicamentos. Mudar a concentração de C, por exemplo, não irá influenciar apenas D. Dentro da rede holística, uma variação na concentração de C pode influenciar profundamente o comportamento e as funções de A, B, E e também D.

Fluxo de Informação

A→B→C→D→E

Newtoniano – Linear

Quântico – Holístico

Quando descobri essa interação entre matéria e energia, percebi que o método reducionista linear (A>B>C>D>E) jamais conseguirá abranger ou nem sequer explicar a origem das doenças. O primeiro passo da física quântica foi demonstrar a existência dessas redes de comunicação. E pesquisas mais recentes, que envolvem o mapeamento das interações entre as proteínas das células, comprovam a presença de uma ligação holística entre elas (Li *et al.* 2001; Giot *et al.* 2003; Jansen *et al.* 2003). A ilustração seguinte mostra a comunicação entre algumas das proteínas de uma mosca-das-frutas. As linhas entre elas representam essa interação.

Obviamente, as disfunções biológicas podem resultar de problemas de comunicação entre essas complexas redes. Modificar os parâmetros de uma proteína irá alterar, inevitavelmente, o de diversas outras dentro do sistema. Veja os sete círculos da ilustração seguinte, que mostra os grupos de proteínas de acordo com suas funções fisiológicas. Observe que as proteínas de um grupo, como as que determinam o sexo, por exemplo (veja a seta), também influenciam aquelas de funções totalmente diferentes, como síntese de

RNA (helicase, por exemplo). Os cientistas e pesquisadores newtonianos ainda não compreenderam essa interconectividade entre as redes de informação biológica das células.

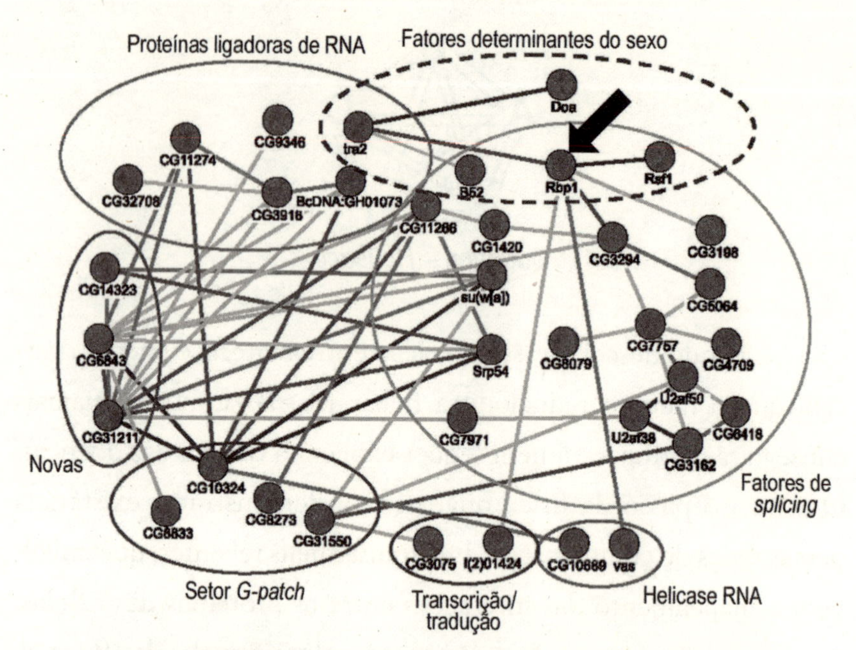

Mapa de interações entre um pequeno conjunto de proteínas celulares (círculos escuros e numerados) de uma drosófila (mosca-das-frutas). A maioria das proteínas está associada à síntese e ao metabolismo das moléculas de RNA. As proteínas dentro dos círculos estão agrupadas de acordo com funções e direções específicas. As linhas indicam a interação entre elas, e as conexões entre as diferentes direções revelam que interferir em uma determinada proteína pode resultar em "efeitos colaterais" profundos na rede. Esses "efeitos" também podem ser produzidos quando uma proteína é utilizada em funções diferentes. Por exemplo: a mesma proteína Rbp 1 (veja a seta) é usada no metabolismo RNA e na linha associada ao fator determinante do sexo. (Material utilizado com permissão da Science 302:1727 – 1736. Copyright, 2003 AAAS).

O mapeamento dos canais dessas redes de informação mostra o perigo dos medicamentos farmacêuticos. Por isso suas bulas apresentam uma grande lista de efeitos colaterais, que vão de uma simples irritação até a morte. Quando essas drogas são introduzidas

no organismo para corrigir a disfunção de uma proteína acabam interagindo com muitas delas.

Para tornar tudo ainda mais complicado, os sistemas biológicos têm funções múltiplas. Os mesmos sinais ou moléculas de proteína podem ser usados simultaneamente em diferentes órgãos e tecidos, resultando em funções comportamentais as mais diversas. Por exemplo: um medicamento indicado para corrigir uma disfunção em um fluxo de comunicação do coração cai na corrente sanguínea e se espalha pelo corpo todo. Com isso pode acabar interferindo em funções do sistema nervoso caso o cérebro utilize componentes desse mesmo fluxo de comunicação. Mas, se por um lado, essa multiplicidade de tarefas torna mais complicada a ação dos medicamentos, por outro, ela é o resultado da evolução. Organismos multicelulares podem sobreviver com muito menos genes do que os cientistas imaginavam, pois os mesmos produtos genéticos (proteínas) são utilizados em diferentes funções. É mais ou menos o que fazemos ao utilizar as 26 letras do alfabeto para construir qualquer palavra em nossa língua[3].

Em minha pesquisa sobre as células dos vasos sanguíneos, descobri logo no início os limites impostos por essas ligações de funções múltiplas. A histamina é um componente químico importante para o corpo, pois estimula a reação das células ao estresse. Quando está presente no sangue que alimenta os braços e pernas, os sinais de estresse fazem com que os poros das paredes dos vasos sanguíneos se abram. A abertura desses buracos é o primeiro passo para uma reação inflamatória. No entanto, se a histamina for aplicada nos vasos cerebrais, o mesmo sinal aumentará o fluxo de nutrição dos

3. O autor refere-se ao inglês; se se tratasse do português, falaríamos em 23 letras. (N.E.)

neurônios, aumentando seu crescimento e melhorando suas funções específicas. Em momentos de estresse, o aumento de nutrição sinalizado pela histamina permite ao cérebro aumentar sua atividade e lidar melhor com a situação de emergência. Esse é um exemplo de como o mesmo sinal de histamina pode resultar em efeitos opostos, dependendo do local onde o sinal é liberado (Lipton *et al.*, 1991).

Uma das características mais engenhosas do sofisticado sistema de sinalização do corpo é seu nível de especificidade. Se alguém tem uma brotoeja no braço, por exemplo, a coceira irritante que sente é o resultado da liberação de histamina, a molécula sinalizadora que ativa a resposta inflamatória ao alergênico da brotoeja. Mas como não há necessidade de fazer o corpo inteiro coçar, a histamina somente é liberada no local da brotoeja. E o mesmo ocorre com alguém que passe por uma situação estressante. A liberação de histamina dentro do cérebro faz com que haja um aumento do fluxo sanguíneo no tecido nervoso, acelerando o processamento neurológico necessário à sobrevivência. Mas essa liberação de histamina no cérebro para lidar com situações de estresse é controlada e não chega a causar uma resposta inflamatória em outras partes do corpo. Assim, a histamina é utilizada apenas onde e quando é necessária.

Mas a maioria dos medicamentos industrializados não tem essas características. Quando alguém toma um anti-histamínico para curar uma inflamação ou alergia, a droga se espalha pelo organismo inteiro, afetando todos os receptores de histamina indiscriminadamente. Claro, reduz a resposta inflamatória dos vasos sanguíneos, reduzindo os sintomas da alergia. Quando, porém, chega ao cérebro, acaba alterando a circulação neural, o que causa reação sobre

as funções nervosas. Por isso, pessoas que usam anti-histamínicos sentem alívio dos sintomas e também muita sonolência.

Um exemplo recente das trágicas reações adversas da terapia com medicamentos farmacêuticos é o efeito colateral da terapia de reposição hormonal com elementos sintéticos, que pode causar a morte. A função mais conhecida do estrógeno está associada ao sistema reprodutor feminino. No entanto, estudos sobre a distribuição dos receptores de estrógeno no corpo revelam que ele (e suas moléculas sinalizadoras complementares) desempenham papel importante nas funções normais dos vasos sanguíneos, do coração e do cérebro. Os médicos costumam prescrever estrógeno sintético para o alívio dos sintomas da menopausa, quando os órgãos reprodutores reduzem suas funções. No entanto, a droga não atinge somente os tecidos desses órgãos, mas também acaba afetando os receptores do coração, dos vasos sanguíneos e do sistema nervoso. Isto pode causar doenças cardiovasculares e disfunções neurais como o derrame cerebral (Shumaker *et al.*, 2003; Cauley *et al.*, 2003).

Os efeitos adversos de medicamentos desse tipo ainda são a principal causa de morte iatrogênica, ou seja, causada por tratamento médico. Segundo estimativas conservadoras publicadas no periódico *Journal of the American Medical Association*, doenças iatrogênicas são as terceiras maiores causadoras de morte nos Estados Unidos. Mais de 120 mil pessoas morrem, por ano, devido aos efeitos adversos de medicamentos prescritos por médicos (Starfield, 2000). No entanto, um estudo realizado recentemente mostra resultados ainda mais impressionantes (Null *et al.*, 2003). Indica que as doenças iatrogênicas são a causa principal de mortes no país. Mais de 300 mil pessoas morrem todos os anos devido a remédios receitados.

São estatísticas assustadoras, especialmente porque estão relacionadas aos profissionais da cura, os mesmos que condenam e rejeitam incisivamente os três mil anos de cura eficaz da medicina oriental, qualificando-a como não-científica. No entanto, a medicina oriental se baseia em um profundo conhecimento dos princípios que regem o universo. Durante centenas de anos, muito antes dos cientistas ocidentais descobrirem as leis da física quântica, os asiáticos já consideravam a energia como o fator principal para a saúde e o bem-estar. Segundo a medicina oriental, o corpo é uma complexa estrutura de fluxos de energia chamados meridianos. Nos gráficos fisiológicos chineses, essas redes energéticas se assemelham a diagramas eletrônicos. Utilizando instrumentos como as agulhas de acupuntura, os médicos chineses testam os circuitos de energia de seus pacientes exatamente da mesma maneira que os engenheiros eletrônicos "consertam" uma placa de circuitos, identificando as "patologias" elétricas.

MÉDICOS: OS BODES EXPIATÓRIOS DA INDÚSTRIA FARMACÊUTICA

Por mais que eu admire a sabedoria milenar da medicina oriental, porém, não posso condenar os médicos ocidentais que prescrevem em grandes quantidades medicamentos que vão contra seus próprios objetivos de curar. Esses profissionais são regidos pelos princípios intelectuais de sua profissão e pelas corporações que os controlam. Funcionam como mediadores entre a indústria farmacêutica e os pacientes. Suas habilidades de cura têm como base uma educação arcaica newtoniana, que os ensina que o universo

é constituído apenas de matéria física. Infelizmente essa teoria foi desbancada 75 anos atrás, quando os físicos adotaram oficialmente a mecânica quântica e reconheceram que o universo é constituído de energia.

Mas em seus cursos de graduação, pós-graduação e doutorado os médicos continuam recebendo informações e instruções sobre os produtos farmacêuticos por intermédio dos representantes da indústria farmacêutica. A função desses profissionais é vender seus produtos e "atualizar" os médicos sobre a eficácia das novas drogas. Os "cursos" que recebem gratuitamente em suas empresas têm como objetivo persuadir os profissionais da área médica a "empurrar" os medicamentos. É evidente que as quantidades desses produtos prescritos pelos médicos violam o juramento feito por eles mesmos de "jamais prejudicar um paciente". Fomos programados pelas corporações farmacêuticas a nos tornarmos uma nação de viciados em drogas prescritas, e os resultados são muitas vezes trágicos. É preciso parar, repensar nossos conceitos e incorporar as descobertas da física quântica à biomedicina para criar um sistema novo e mais saudável de cura que esteja de acordo com as leis da natureza.

FÍSICA E MEDICINA: QUANTO ANTES MELHOR

Alguns ramos da ciência já incorporaram a física quântica, com excelentes resultados. Um dos primeiros sinais de que a humanidade estava despertando para a realidade do universo quântico ocorreu em 6 de agosto de 1945. A destruição causada pela bomba atômica em Hiroshima mostrou o poder da teoria quântica e abriu

as portas da era atômica. Mas, pelo lado construtivo, a física quântica permitiu que se tornassem realidade alguns milagres eletrônicos que nos levaram à era da informação. As aplicações da mecânica quântica foram diretamente responsáveis pelo desenvolvimento dos televisores, dos computadores, da tomografia computadorizada, do *laser*, dos foguetes espaciais e do telefone celular.

Mas o que a revolução quântica trouxe às ciências biomédicas em termos de avanços? Vamos listá-las em ordem de importância. Devo lembrar que é uma lista bem pequena.

Embora eu enfatize a necessidade de aplicarmos os princípios da mecânica quântica à biociência, isso não quer dizer que a medicina deva simplesmente ignorar os princípios de Isaac Newton. As novas leis quânticas não contradizem ou refutam os princípios da física clássica. Os planetas ainda seguem as rotas descritas pela matemática de Newton. A diferença entre as duas concepções da física é que a mecânica quântica se aplica mais especificamente às esferas molecular e atômica enquanto as leis newtonianas exploram níveis mais altos de organização, como sistemas orgânicos, indivíduos e populações. O surgimento de uma doença como o câncer, por exemplo, pode se manifestar em nível macro quando se pode ver e sentir um tumor. No entanto, o processo que deu início a esse câncer se iniciou em nível molecular dentro das células progenitoras. Na verdade, a maioria das disfunções biológicas (com exceção de ferimentos e trauma físico) começa em nível celular, nas moléculas e íons. Daí a necessidade de a biologia integrar os princípios newtonianos e os quânticos.

Por sorte, alguns biólogos revolucionários já defendem essa união. Há 40 anos, o renomado fisiologista Albert Szent-Györgyi,

ganhador do Prêmio Nobel, publicou um livro chamado *Introduction to a submolecular biology* (Szent-Györgyi, 1960) [Introdução à biologia submolecular]. O material demonstrava um esforço digno e nobre de educar a comunidade científica sobre a importância da física quântica nos sistemas biológicos. Mas, infelizmente, seus colegas consideraram o livro como um conjunto de fantasias de um homem senil e lamentaram a "perda" de um colega tão brilhante.

A maioria dos biólogos ainda não reconheceu a importância do material de Györgyi, mas as pesquisas sugerem que cedo ou tarde eles terão de aceitá-lo diante das evidências que surgem a todo momento, desbancando os antigos paradigmas materialistas. Lembra-se de que mencionei que os movimentos das proteínas são a base da vida? Os cientistas tentaram prever esses movimentos usando os princípios da física newtoniana, mas não obtiveram sucesso. Você já deve imaginar o motivo: em 2000, um artigo de V. Pophristic e L. Goodman publicado no periódico *Nature* revelou que as leis da física quântica, e não as de Newton, controlam os movimentos moleculares que geram a vida (Pophristic e Goodman, 2001).

Complementando esse estudo publicado no *Nature*, o biofísico F. Weinhold concluiu: "Quando os livros de química servirão para ajudar ao invés de se colocarem somente como barreiras para a perspectiva da mecânica quântica sobre o funcionamento das moléculas? Quais são as forças que fazem com que as moléculas se movimentem e adotem formatos tão complexos? Não procure as respostas em um livro de química orgânica" (Weinhold, 2001). A química orgânica oferece base mecânica para a biomedicina; mas, como observa Weinhold, esse ramo da ciência está tão defasado que seus livros sequer mencionam a mecânica quântica. Os pesquisadores da

medicina convencional não compreendem os mecanismos moleculares que são a base da vida.

Centenas de estudos científicos realizados nos últimos 50 anos revelam que "forças invisíveis" do espectro eletromagnético têm grande impacto sobre o funcionamento da biologia. Essas energias englobam as microondas, as freqüências de rádio, as cores visíveis, as baixas freqüências, as freqüências acústicas e até mesmo uma nova forma de força chamada energia escalar. Freqüências e padrões específicos de radiação eletromagnética regulam o DNA, o RNA, a síntese das proteínas, alteram a função e o formato das proteínas, controlam os genes, a divisão das células, sua diferenciação, a morfogênese (processo pelo qual as células se agrupam, formando órgãos e tecidos), a secreção hormonal, o crescimento e as funções nervosas. Cada uma dessas atividades celulares tem um comportamento específico que contribui para o desenvolvimento da vida. Embora esses estudos tenham sido publicados em alguns dos periódicos biomédicos mais respeitados, suas descobertas revolucionárias ainda não foram incorporadas ao currículo das escolas de medicina (Liboff, 2004; Goodman e Blank, 2002; Sivitz, 2000; Jin *et al.*, 2000; Blackman *et al.*, 1993; Rosen, 1992; Blank, 1992; Tsong, 1989; Yen-Patton *et al.*, 1988).

Um importante estudo realizado há 40 anos pelo biofísico da Universidade de Oxford C. W. F. McClare calcula e compara a eficiência da transferência de informações entre sinais de energia e sinais químicos nos sistemas biológicos. Sua pesquisa, chamada "Repercussão na bioenergética", publicada em *Annals of the New York Academy of Science*, revela que os mecanismos de sinalização energética como as freqüências eletromagnéticas são centenas de vezes mais eficazes na transmissão de informações ambientais que

os sinais físicos como hormônios, neurotransmissores, fatores de crescimento etc. (McClare, 1974).

Mas não é de se surpreender que os sinais de energia sejam mais eficientes. Nas moléculas físicas, a informação a ser transportada é ligada diretamente à energia disponível de uma molécula. No entanto, a reação química empregada para transferir essa informação é acompanhada de uma grande perda de energia devido ao calor gerado pelo rompimento das ligações químicas. Como a ligação termoquímica desperdiça a maior parte da energia da molécula, a pequena quantidade que permanece limita o montante de informação que pode ser transferida como sinal.

Sabemos que os organismos vivos precisam receber e interpretar os sinais do ambiente para se manter vivos. Na verdade, a sobrevivência está diretamente vinculada à velocidade e à eficiência da transferência de sinais. A velocidade dos sinais de energia eletromagnética é de cerca de 300 quilômetros por segundo, enquanto a velocidade dos elementos químicos difusíveis é menor que 1 centímetro por segundo. Os sinais de energia são 100 vezes mais eficientes e infinitamente mais rápidos que os sinais químicos físicos. Que tipo de sinal você acha que seu corpo, uma comunidade de trilhões de células, prefere? Faça os cálculos!

A INDÚSTRIA FARMACÊUTICA

Acredito que a principal razão para as pesquisas sobre a energia serem tão ignoradas é monetária. A indústria farmacêutica de trilhões de dólares só investe em pesquisas de fórmulas mágicas na forma de produtos químicos porque comprimidos significam

dinheiro. Se a energia de cura pudesse ser vendida em drágeas, as indústrias se interessariam rapidamente.

O que elas fazem é justamente o contrário. Pesquisam e identificam irregularidades na fisiologia e no comportamento baseadas em normas hipotéticas e informam ao público sobre o perigo que elas representam. Claro, a descrição simplificada dos sintomas utilizada pelas indústrias de medicamentos para a divulgação ao público acaba convencendo as pessoas de que elas sofrem de uma doença específica. "Você tem estado muito preocupado? A preocupação é um sintoma primário de uma 'doença' chamada distúrbio de ansiedade. Deixe de se preocupar. Peça ao seu médico para lhe receitar Dependencina, a nova pílula mágica".

Além disso, a mídia evita o assunto e a divulgação do número de mortes por ingestão dos medicamentos receitados, chamando a atenção para os perigos das drogas ilícitas. Advertem a população que usar drogas para fugir dos problemas da vida não resolve. Engraçado... eu penso que a mesma frase se aplica quando se trata de uso excessivo de medicamentos "legais". Eles são perigosos? Pergunte a quem morreu no ano passado. Usar medicamentos sob prescrição médica para silenciar os sintomas do corpo é a mesma coisa que evitar ter envolvimento pessoal com o problema. É como tirar férias da responsabilidade de cuidar do próprio corpo.

Nossa dependência de drogas lícitas me lembra uma experiência que tive quando trabalhava em uma loja de revenda de carros quando era estudante. Às 16h30 de uma sexta-feira uma mulher entrou na loja muito irritada. A "luz indicadora de problemas elétricos" estava acesa, mas o carro já tinha sido consertado diversas vezes pelo mesmo motivo. Mas quem quer resolver um problema

desses no final do expediente em uma sexta-feira? Ninguém se manifestou até que um dos mecânicos disse: "Deixe que eu conserto". Levou o carro para a parte de trás da loja onde ficava o galpão de mecânica, abriu o painel, tirou a lâmpada do sinalizador e a jogou fora. Abriu então uma lata de refrigerante e acendeu um cigarro. Depois de algum tempo, trouxe o carro de volta e disse que havia resolvido o problema. A mulher girou a chave na ignição e, ao ver que a luz indicadora não acendia mais, foi embora contente. O problema continuava, mas o sintoma havia desaparecido. A mesma coisa acontece quando tomamos um medicamento. Reduzimos os sintomas, mas dificilmente eliminamos a causa do problema.

"Mas espere", você irá dizer. "Os tempos mudaram". Hoje temos mais consciência dos perigos das drogas e estamos mais abertos a terapias alternativas. E como mais da metade da população norte-americana se consulta com profissionais de medicina complementar, os médicos tradicionais não podem mais se esconder atrás de suas teorias ou simplesmente esperar que a medicina naturalista saia de moda. As empresas de planos de saúde já incorporaram algumas práticas de cura antes consideradas charlatanismo e alguns hospitais oferecem tratamentos alternativos.

No entanto, mesmo nos dias de hoje, as instituições de medicina tradicional não aceitam totalmente a medicina complementar. Os hospitais que abrem exceções fazem isso somente por pressão do público e para acalmar os ativistas e os consumidores que gastam centenas de dólares com essas práticas ainda consideradas não-ortodoxas. Não há investimento real no estudo da medicina energética. O problema é que, sem fundos para pesquisas, ela ainda pode continuar a ser classificada como "não-científica" durante muito tempo.

VIBRAÇÕES POSITIVAS, NEGATIVAS E A LINGUAGEM DA ENERGIA

Embora a medicina convencional ainda não tenha se dado conta do papel da energia em termos de "informação" sobre os sistemas biológicos, já começa a investir em tecnologias de varredura ou mapeamento não-invasivos capazes de identificá-la. Cientistas da área quântica desenvolveram equipamentos que lêem e analisam as freqüências emitidas por determinados elementos químicos, permitindo identificar a composição de materiais e objetos e adaptaram estes aparelhos para que pudessem ler o espectro de energia emitido pelos tecidos e órgãos do corpo. Como os campos de energia viajam com facilidade pelo organismo, as novas tecnologias como CATs, MRIs e tomografias de emissão de pósitrons (PET) podem detectar doenças de maneira não-invasiva. Os médicos podem diagnosticar problemas internos analisando as imagens dos tecidos mapeados.

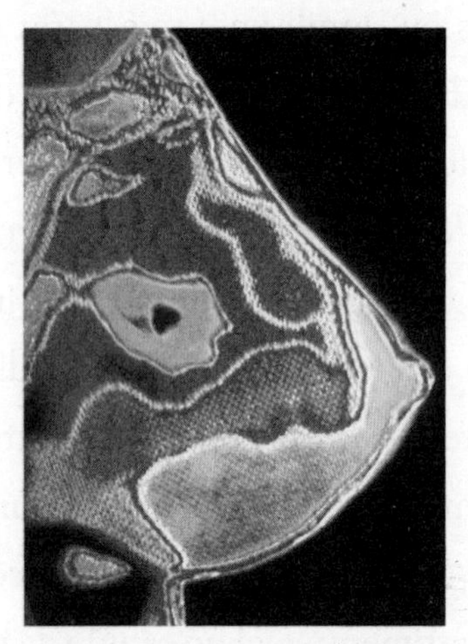

Mamograma. Observe que a ilustração acima não é apenas a foto de uma mama, e sim uma imagem eletrônica que mostra a energia irradiada pelas células e tecidos do corpo. As diferenças no espectro da energia permite aos radiologistas identificar tecidos não-saudáveis (veja o ponto preto no centro).

A imagem mapeada na ilustração anterior revela a presença de câncer de mama. O tecido lesado emite um tipo específico de assinatura energética diferente das células saudáveis ao seu redor. Essas identidades de energia que passam pelo nosso corpo viajam pelo espaço na forma de ondas invisíveis semelhantes a ondas em um lago. Se jogamos uma pedrinha dentro dele, sua "energia" (gerada pela força da gravidade contra a massa da superfície) é transmitida para a água. As ondas geradas pela pedra são, na verdade, ondas de energia passando pela água.

Se jogarmos várias pedras ao mesmo tempo, as ondas (de energia) geradas podem interferir umas com as outras, formando diversos pontos de convergência. Esta interferência pode ser construtiva (amplificando a energia) ou destrutiva (diminuindo sua intensidade).

Jogar duas pedras do mesmo tamanho e à mesma distância faz com que suas ondas se coordenem e acabem convergindo uma para a outra. Quando as ondas se sobrepõem, a força combinada de sua interação é duplicada, um fenômeno chamado interferência construtiva ou ressonância harmônica. Mas quando as pedras são jogadas de maneira não simultânea, suas ondas de energia não se

sincronizam, pois enquanto uma está subindo, a outra está descendo. Então, ao se encontrarem, acabam anulando uma à outra. Em vez de duplicar a energia no ponto de encontro, a água permanece parada, sem ondas de energia. Esse fenômeno em que as energias são canceladas é chamado interferência destrutiva.

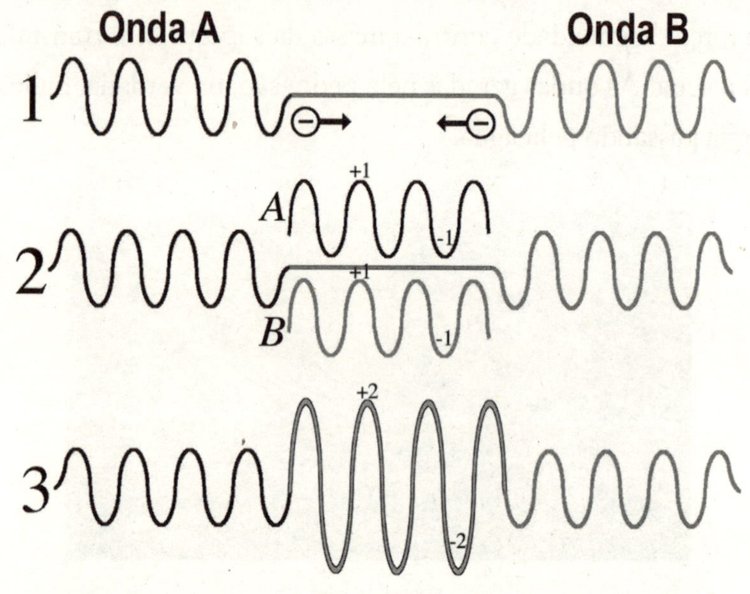

Interferência construtiva. No número 1 acima, dois conjuntos de ondas se movem sobre a superfície da água, uma em direção à outra e em fase. Neste caso, as duas apresentam amplitude negativa dominante e os padrões de seus ciclos estão alinhados. As ondas se integram na interface no momento em que tocam. Para ilustrar as conseqüências desta união, desenhei uma sobre a outra, como mostra a ilustração 2. O lugar em que a amplitude de A é +1 a amplitude de B também é +1. Se colocamos as duas juntas, a amplitude resultante da onda composta naquele ponto será +2. Da mesma maneira, onde A é –1, B também será, e a amplitude resultante será –2. O resultado da onda composta de amplitude mais alta é mostrada na ilustração 3.

O comportamento das ondas de energia é importante para a biomedicina porque as freqüências vibracionais podem alterar as propriedades químicas e físicas de um átomo e da mesma maneira que

a histamina ou o estrogênio. Como os átomos estão em constante movimento, o que pode ser medido por sua vibração, acabam gerando ondas similares às das pedrinhas jogadas na água. Cada átomo é único porque a distribuição de suas cargas positiva e negativa, aliadas à velocidade de giro, criam uma vibração específica e um padrão de freqüência personalizados (Oschman, 2000).

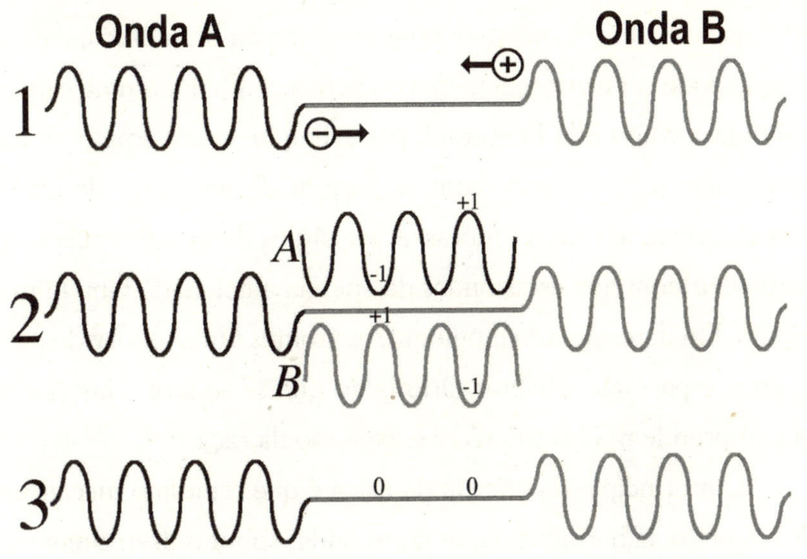

Interferência destrutiva. Na figura 1, as ondas provocadas pela primeira pedra, chamadas de onda A, movem-se da esquerda para a direita. A onda B, que se move da esquerda para a direita, representa as ondas de uma segunda pedra jogada logo depois da primeira. Como as duas não atingiram a água ao mesmo tempo, as ondas não se alinham na interface, estão fora de sincronia. Na ilustração, a onda A tem uma amplitude negativa e a onda B uma amplitude positiva. Ao se encontrarem, na figura 2, as ondas agem como se fossem imagens de espelho uma da outra. A alta amplitude (+1) de uma onda se alinha à baixa amplitude (–1) da outra e vice-versa. Como mostra a figura 3, os valores de amplitude de uma onda cancelam os da outra. O resultado é uma onda de 0 amplitude, ou seja, a água se mantém plana!

Os cientistas desenvolveram uma nova maneira de interromper o movimento dos átomos estudando suas ondas de energia. Primeiro identificam sua freqüência e utilizam um *laser* para emitir outra igual. Embora o átomo e a freqüência fotoelétrica emitam o mesmo padrão de ondas, as do *laser* são programadas para estar fora de sincronia em relação às do átomo. Quando a onda de luz interage com a onda do átomo, a interferência destrutiva cancela sua vibração e faz com que ele pare de girar (Chu, 2002; Rumbles, 2001).

Já quando a intenção é acelerar os átomos ao invés de pará-los, a vibração é uma maneira de criar ressonância harmônica, cuja vibração pode ser eletromagnética ou acústica. Quando uma cantora habilidosa como Ella Fitzgerald, por exemplo, emite uma nota harmonicamente ressonante com os átomos de uma taça de cristal, eles absorvem as ondas sonoras. A mecânica da interferência construtiva faz com que estas ondas de energia adicionada vibrem mais rápido. Em determinado momento, os átomos terão absorvido tanta energia e passarão a vibrar tão rápido que se soltarão das cadeias que os prendem. O resultado é a explosão da taça.

Um princípio da ciência da física é que o mesmo mecanismo de ressonância harmônica que faz as ondas sonoras destruírem uma taça ou uma pedra nos rins pode influenciar as funções químicas de nosso corpo. Mas os biólogos ainda não se dedicaram ao estudo desses mecanismos com a mesma motivação que os faz tentar descobrir novos medicamentos. É uma pena, pois já há evidências científicas suficientes de que podemos adaptar as ondas e transformá-las em agentes terapêuticos da mesma maneira que manipulamos as estruturas químicas das drogas.

Já houve uma época em que a eletroterapia era muito utilizada na medicina. No final do século 19, o desenvolvimento de baterias e de outros dispositivos que produzem campos eletromagnéticos in-

centivou a produção de aparelhos que, supunha-se, podiam curar doenças. O público passou então a procurar os profissionais desta nova arte de cura chamada radiestesia. Dizem que esses aparelhos eram muito eficazes e se tornaram tão populares que algumas revistas publicavam anúncios do tipo "seja um radiestesista! Somente US$ 9,99 dólares com manual de instruções!" Em 1894, mais de 10 mil médicos norte-americanos e centenas de consumidores que liam o manual passaram a utilizar a eletroterapia.

Em 1895, D. D. Palmer criou a ciência da quiroprática. Palmer afirmava que o fluxo de energia por meio do sistema nervoso é muito importante para a saúde. O foco de suas pesquisas era a mecânica da coluna vertebral, o condutor dos nervos espinais que levam as informações ao corpo. Desenvolveu técnicas para acessar e regular o fluxo de informações diminuindo as tensões e pressões exercidas sobre a coluna vertebral.

No entanto, a classe médica começou a se sentir ameaçada por práticas como a quiroprática, a homeopatia e a radiestesia, que reduziam o número de pacientes em seus consultórios. A Fundação Carnegie publicou em 1910 o Relatório Flexner, exigindo que todas as práticas médicas tivessem base científica comprovada. Como os físicos ainda não haviam descoberto o universo quântico, a medicina energética não tinha como ser formalmente analisada. Então, por pressão da Associação Médica Norte-Americana [*American Medical Association*], a quiroprática e as demais práticas baseadas em energia foram consideradas ilegais e duvidosas. Os radiestesistas simplesmente desapareceram do mercado.

Nos últimos 40 anos, a quiroprática tem feito grandes progressos em termos de cura. Em 1990, os quiropráticos venceram

uma batalha contra o monopólio médico quando a Associação Médica Norte-Americana foi acusada de ações ilegais para destruir sua profissão. Desde então, a quiroprática tem ampliado sua rede de influência e passou até mesmo a ser aceita em alguns hospitais. Embora a eletroterapia seja hoje considerada como uma prática do passado, muitos neurocientistas têm desenvolvido pesquisas muito interessantes sobre as terapias de energia vibracional.

Já se sabe há muito tempo que o cérebro é um órgão elétrico. A terapia de choque tem sido utilizada ao longo da história em tratamentos contra a depressão. Mas hoje os cientistas utilizam técnicas menos invasivas para tratar o cérebro. Um artigo recente publicado na *Science* menciona os efeitos benéficos da estimulação magnética transcranial (TMS – *Transcranial Magnetic Stimulation*), que estimula o cérebro por intermédio de campos magnéticos (Helmut, 2001; Hallet, 2000). A TMS é uma versão atualizada das técnicas de radiestesia praticadas no século 19 e denunciadas pela medicina convencional. Estudos recentes mostram que a TMS pode ser uma poderosa ferramenta terapêutica. Quando utilizada de maneira correta, pode diminuir a depressão e ampliar a percepção.

Fica claro, então, que ainda precisamos desenvolver muitos estudos e pesquisas sobre essa área tão promissora que envolve a física quântica, a engenharia elétrica, a química e a biologia. Essas pesquisas podem ser muito benéficas, resultando em formas de terapia com menos efeitos colaterais que as drogas convencionais. Irão, porém, apenas confirmar algo que os cientistas e os não-cientistas já "sabem" mas não perceberam ainda: todos os organismos, incluindo os humanos, comunicam-se e lêem o ambiente por meio de campos de energia. Por sermos tão dependentes das linguagens

falada e escrita, acabamos abandonando o sistema de comunicação por intermédio da sensibilidade energética. E, assim, como qualquer função biológica, a falta de uso leva à atrofia. O mais interessante é que os aborígenes ainda utilizam essa capacidade extra-sensorial em sua rotina diária. Seus sentidos não foram atrofiados. Por exemplo: os aborígenes australianos captam e descobrem fontes de água sob a areia e algumas tribos indígenas da Amazônia e seus pajés se comunicam com as energias das plantas medicinais.

Você mesmo já deve ter sentido a ação desse mecanismo. Nunca lhe aconteceu de estar andando por uma rua escura à noite e de repente se sentir fraco, sem energia? Por que isso aconteceu? Interferência destrutiva, a mesma das pedras jogadas na água não simultaneamente ou, segundo a crença popular, vibrações negativas! Lembra-se daquele dia em que conheceu alguém tão especial que se sentiu "energizado"? Interferência construtiva ou, simplesmente, boas vibrações.

Quando deixei de acreditar que somos matéria inerte, percebi que a área da ciência em que escolhi trabalhar estava defasada, e também notei que tinha de tomar atitudes construtivas em minha própria vida. Precisava de um estímulo físico-quântico! Em vez de criar energias harmônicas em minha vida, eu simplesmente me deixava levar por ela, desperdiçando toda a minha energia. Isto é mais ou menos como ligar um aquecedor em um dia frio, mas deixar as portas e janelas abertas. Comecei a fechar uma por uma, analisando cada área de minha vida em que minha energia não estava sendo bem utilizada. Algumas foram muito fáceis de identificar, como aquelas festas da faculdade que me exauriam. Mas outras, como minha atitude derrotista diante da vida, foram muito difíceis de trabalhar.

Pensamentos consomem tanta energia quanto maratonas, como veremos no capítulo seguinte.

Assim como eu, a biomedicina precisa de um estímulo físico-quântico. Pouco a pouco a medicina vai caminhando nesse sentido, impulsionada pelos consumidores que procuram cada vez mais as práticas complementares. É um longo caminho, mas a revolução quântica biológica já se iniciou. Os profissionais atuais de medicina serão finalmente levados (por vontade própria ou por pressão) a fazer parte dela.

CAPÍTULO CINCO

BIOLOGIA E CRENÇA

Em 1952, um médico inglês chamado Albert Mason cometeu um erro. Foi, porém, um erro que o levou à glória e à fama científica. Estava tratando, por meio da hipnose, um adolescente de 15 anos que tinha problemas de verrugas. Tanto o doutor Mason quanto outros médicos já haviam utilizado a hipnose para tratamento, mas esse paciente era um caso especial. Sua pele se parecia mais com a de um elefante do que com a de um ser humano, com exceção da região do tórax, que era normal.

Na primeira sessão, Mason se concentrou no braço do rapaz. Induziu-o ao estado de transe hipnótico e lhe disse que seu braço seria curado e que passaria a ter a pele normal e saudável. O paciente retornou uma semana depois e o médico ficou satisfeito ao ver que os resultados eram excelentes. A pele do braço do garoto estava normal. Mas quando conversou com o cirurgião que havia tentado, sem sucesso, fazer enxertos na pele do paciente, percebeu que havia cometido um erro médico. O cirurgião quis ver o rapaz e ficou muito surpreso com o resultado. Explicou a Mason que se tratava de um caso genético e possivelmente letal de ictiose congênita,

e não de simples verrugas. Eliminando os sintomas utilizando "apenas" o poder da mente, Mason e o rapaz fizeram algo considerado impossível na época. Continuaram então com as sessões de hipnose e a pele da maior parte do corpo dele se tornou rosada e normal. O rapaz, que era vítima de piadas e provocações na escola por causa da aparência de sua pele, passou a então ter vida normal.

Quando Mason descreveu seu tratamento para a ictiose em um artigo para o *British Medical Journal* em 1952, o assunto se tornou a sensação do momento (Mason, 1952). A mídia passou a assediá-lo e sua sala de espera se encheu de pacientes de ictiose que, até aquele momento, ninguém havia conseguido curar. No entanto, algo estranho aconteceu. Mason tentou o mesmo método em diversos pacientes, mas jamais conseguiu obter o mesmo efeito. Concluiu que o problema estava nele mesmo e em suas crenças sobre o tratamento. Não conseguia ter com os novos pacientes a mesma postura tranqüila de quem pensava estar tratando um simples caso de verrugas. Agora sabia que se tratava de pessoas com uma doença congênita e "incurável". Tentou ainda, durante um bom tempo, manter uma postura otimista diante dos prognósticos, mas um dia confessou em uma entrevista para o *Discovery Health Channel*: "Eu apenas fingia que estava tudo bem" (2003).

Como a mente consegue ser mais forte que a programação genética? Como a simples crença de Mason pôde afetar o resultado do tratamento? A nova biologia tem algumas respostas para essas perguntas. Vimos no capítulo anterior que matéria e energia estão interligadas. A conclusão lógica é que mente (energia) e corpo (matéria) têm constituição semelhante, embora a medicina ocidental venha tentando tratar as duas separadamente há séculos.

No século 17, René Descartes negou o conceito de que a mente tenha influência sobre o corpo. Afirmou que o corpo físico é composto de material denso e a mente, de uma substância ainda não identificada porém imaterial. Como não conseguiu identificar a natureza da mente, resolveu deixar o assunto de lado e o mundo continuou com uma questão filosófica não resolvida: se a matéria só pode ser afetada por matéria, como uma mente não material pode estar "conectada" a um corpo denso? A questão de Descartes acabou sendo definida popularmente como "o fantasma na máquina"[*a ghost in the machine*], em um livro de Gilbert Ryle publicado 50 anos atrás, chamado *The concept of mind* (Ryle, 1949) [O conceito da mente]. A biomedicina tradicional, baseada em um universo de matéria puramente física e em conceitos newtonianos, concordava com a teoria de Descartes sobre a divisão mente/corpo. Em termos médicos, é muito mais simples consertar um corpo mecânico sem ter de pensar na incômoda figura de um "fantasma".

A realidade de um universo quântico retoma conceitos que Descartes refutou. Sim, a mente (energia) emana do corpo físico exatamente como ele pensava. A nova compreensão da mecânica do universo, porém, mostra como o corpo físico pode ser afetado pela mente não-material. Pensamentos, que são a energia da mente, influenciam diretamente a maneira como o cérebro físico controla a fisiologia do corpo. A "energia" dos pensamentos pode ativar ou inibir as proteínas de funcionamento das células que descrevi no capítulo anterior. Por esse motivo, quando decidi modificar minha vida, passei a observar onde estava despendendo a energia de meu cérebro. Precisava identificar as conseqüências da energia que investia em meus pensamentos da mesma maneira que observava quanta energia meu corpo gastava.

Apesar de todas as descobertas da física quântica, a divisão entre mente e corpo prevalece no Ocidente. Os cientistas ainda classificam na mesma categoria das anomalias casos como o do rapaz que se curou por meio da hipnose. Eu, ao contrário, acredito que eles deveriam estudá-las a fundo. Esses casos excepcionais são a fonte da explicação – e também permitem uma compreensão mais profunda – da natureza da vida. São casos "poderosos" porque contêm verdades que, infelizmente, são consideradas apenas exceções. O poder da mente pode ser ainda mais eficaz que as drogas das quais estamos programados a acreditar que precisamos. A pesquisa que apresentei no capítulo anterior mostra que a energia pode influenciar mais diretamente e com mais facilidade a matéria do que agentes químicos.

Infelizmente, os cientistas ignoram esses casos ao invés de estudá-los. Meu exemplo favorito dessa insistência em negar a realidade da interação mente-corpo é de um artigo publicado na *Science* sobre um físico alemão do século 19 chamado Robert Koch, que estabeleceu junto com Pasteur a teoria dos germes. Essa teoria é bem aceita hoje, mas na época de Koch era alvo de controvérsias. Um dos críticos estava tão certo de que a teoria dos germes era absurda que tomou, de um gole só, um copo d'água cheio de *Vibrio cholerae*, a bactéria que Koch acreditava ser a causadora da cólera. Mas para surpresa de todos, não foi afetado. O artigo da *Science*, publicado em 2000, afirmava: "por razões desconhecidas ele não apresentou nenhum dos sintomas, mas nem por isso estava certo" (Di Rita, 2000).

O homem sobreviveu e a *Science*, refletindo a unanimidade das opiniões da teoria dos germes, teve a audácia de dizer que sua crítica era incorreta? Se todos sabem que essa bactéria é causadora

da cólera e o cientista demonstrou não ser afetado por ela... como ele podia estar errado? Ao invés de tentar descobrir por que ele não apresentou os sintomas, os cientistas simplesmente ignoram a chance de estudar essa e outras exceções às suas teorias. Lembra-se do "dogma" de que os genes controlam a biologia? Esse é outro exemplo de que os cientistas, cegos pela ânsia de provar apenas a sua verdade, perdem a chance de descobrir outras maiores ainda. O problema é que não pode haver exceções para uma teoria, pois elas provam que a teoria está incorreta.

Um exemplo de uma realidade que desafia os conceitos estabelecidos da ciência é uma antiga prática religiosa de caminhar sobre o fogo. Seus seguidores desafiam constantemente os conceitos da ciência caminhando destemidamente sobre pedaços de carvão em brasa. A temperatura do material e a duração da exposição são mais que suficientes para causar queimaduras severas nas solas dos pés, mas eles saem da experiência ilesos. Antes que você pense que o carvão provavelmente não estava tão quente, saiba que muitas vezes, no mesmo grupo, algumas pessoas que não têm crença suficiente tentam fazer a mesma coisa e sofrem lesões sérias caminhando ao lado daquelas cujos pés se mantêm intactos.

Outro exemplo interessante é o do vírus HIV, que se acredita causar a Aids, pois até agora ninguém conseguiu explicar por que tantos indivíduos infectados com o vírus há décadas não apresentam sintoma algum. E o que dizer dos pacientes terminais de câncer que recuperaram a saúde livrando-se das conseqüências da doença? Como essas remissões espontâneas ainda não têm explicação, a ciência simplesmente ignora sua existência. Cura ou saúde espontâneas estão fora do quadro-padrão de diagnósticos.

POR QUE NEM SEMPRE "PENSAR POSITIVO" FUNCIONA

Antes de falar sobre o incrível poder da mente humana e discutir o que minha pesquisa sobre as células mostrou em termos de redes de energia mente-corpo, quero deixar bem claro: não acredito que o simples ato de pensar positivo possa levar à cura de doenças. É preciso um pouco mais que isso para controlar nosso corpo e nossa vida. Claro, é importante para nossa saúde e bem-estar manter a energia da mente sempre positiva e elevar a auto-estima, evitando pensamentos negativos que drenam a energia e debilitam o corpo. Porém, o simples fato de pensar positivo não altera nossa vida! Na verdade, muitas pessoas que tentam pensar positivo e não conseguem acabam ficando ainda mais debilitadas, acreditando que não há mais esperança para sua vida e que já esgotaram todas as possibilidades e recursos disponíveis.

O que elas não entendem é que as subdivisões aparentemente "separadas" da mente, a consciente e a inconsciente, são interdependentes. A mente consciente é a mais criativa e a que gera "pensamentos positivos". Já a mente subconsciente é um depósito de reações e de respostas a estímulos derivados dos instintos e das experiências vividas. Mantém (infelizmente) sempre o mesmo padrão habitual, emitindo as mesmas respostas comportamentais ao longo de toda a vida. Quantas vezes você já não se irritou ou perdeu a paciência por razões triviais como um simples tubo de pasta de dente? Provavelmente lhe ensinaram desde criança a tampá-lo após o uso. Então, quando o encontra destampado você automaticamente se enfurece. É uma simples resposta de estímulo a um comportamento programado armazenado em sua mente subconsciente.

Quando se trata de habilidades de processamento neurológico, a mente subconsciente é milhões de vezes mais forte que a mente consciente. Se os desejos da mente consciente entram em conflito com os programas subconscientes, qual lado você acredita que vencerá? Você pode repetir centenas de vezes afirmações positivas do tipo "as pessoas me amam" ou "irei me curar do câncer". Se aprendeu desde criança que não pode ser amado ou que tem saúde frágil, essas mensagens programadas em sua mente subconsciente vão fazer cair por terra todos os seus esforços para modificar sua vida. Lembra-se daquelas promessas que fazemos a nós mesmos todo Ano-Novo? A primeira delas, que geralmente é a de comer menos, vai por água abaixo assim que o peru é servido. Vou tratar com mais detalhes as origens da auto-sabotagem e como modificar nossa programação no Capítulo 7. Mas saiba que há esperança para quem já tentou pensar positivo e não obteve os resultados que desejava.

O PODER DA MENTE SOBRE O CORPO

Vamos rever o que já sabemos sobre as células. No Capítulo 1, vimos que as funções das células derivam diretamente dos movimentos de suas "engrenagens". O movimento gerado pelos conjuntos de proteínas impulsiona as funções fisiológicas que mantêm a vida. Enquanto as proteínas são a base da estrutura física, os sinais complementares do ambiente garantem seu movimento. A interação entre esses sinais e as proteínas citoplásmicas que geram o comportamento é a base do funcionamento da membrana celular. Ela recebe os estímulos e ativa as reações apropriadas e a membrana funciona como "cérebro" da célula. As proteínas receptoras e executoras (PIMs) são subunidades físicas fundamentais do mecanismo de "inteligência" desse cérebro celular. Por definição, esses complexos de proteínas são os "interruptores" que fazem a mediação entre a recepção dos estímulos ambientais e as respostas ou reações químicas das proteínas.

As células geralmente respondem a uma variedade básica de "percepções" do que se passa no mundo. Essas percepções incluem níveis de potássio, cálcio, oxigênio, glicose, histamina, estrogênio, toxinas, luz e diversos outros estímulos presentes em seu ambiente imediato. As interações simultâneas de centenas de sensores reflexivos na membrana, cada um deles lendo um sinal específico, estabelecem o complexo comportamento das células vivas.

Nos três primeiros bilhões de vida neste planeta, a biosfera consistia de células independentes como bactérias, algas e protozoários. Antigamente considerávamos essas formas de vida como indivíduos independentes, mas hoje sabemos que quando as moléculas sinalizadoras – utilizadas pelas células para regular suas funções fisiológicas – são lançadas no ambiente, acabam influenciando o comportamento de outros organismos. Os sinais emitidos no ambiente permitem a coordenação do comportamento de uma grande população dispersa de organismos unicelulares. Emitir moléculas com sinais no ambiente aumentou as chances de sobrevivência das células, dando a elas a oportunidade de estabelecer "comunidades" primitivas.

As amebas unicelulares são um exemplo de como as moléculas sinalizadoras estabelecem uma comunidade. Essas amebas vivem de maneira solitária em busca de alimento. Quando ele se esgota, sintetizam grandes quantidades de um subproduto metabólico chamado AMP cíclico (cAMP) e espalham uma parte dele

no ambiente. A concentração do cAMP aumenta à medida que outras amebas ficam sem alimento e passam a produzi-lo também. Quando as moléculas de sinal cAMP atingem os receptores de cAMP da membrana das células de outras amebas similares, elas recebem um sinal para se agrupar e formar uma grande "lesma" multicelular. Este é o estágio de reprodução das amebas. Durante o período de "fome", a comunidade de células compartilha seu DNA, criando uma nova geração. As novas amebas hibernam na forma de esporos inativos e quando o alimento no ambiente volta a ficar disponível, as moléculas emitem um sinal indicando que o período de hibernação acabou. Uma nova população de células é então liberada no ambiente e um novo ciclo se inicia.

O aspecto mais importante é que, quando esses organismos unicelulares estabelecem uma comunidade, eles passam a dividir sua "consciência" e passam a coordenar seu comportamento enviando moléculas "sinalizadoras" ao ambiente. O AMP cíclico foi uma das primeiras manifestações de evolução dos sinais reguladores emitidos que controlam o comportamento das células. Antes imaginava-se que as moléculas sinalizadoras humanas (hormônios, neuropeptídeos, citocinas e fatores de crescimento) que regulam nossas comunidades celulares tinham surgido com a criação das formas de vida multicelulares mais complexas. No entanto, pesquisas recentes mostram que os organismos unicelulares já utilizavam moléculas sinalizadoras "humanas" nos primeiros estágios da evolução.

Com o tempo, o número de proteínas PIM "conscientes" nas membranas das células aumentou. Para aumentar seu nível de consciência e, conseqüentemente, suas chances de sobrevivência, as células começaram a estabelecer pequenas colônias e, mais tarde, grandes e

organizadas comunidades. Como já descrevi, as funções fisiológicas dos organismos multicelulares se subdividem em comunidades especializadas que compõem os tecidos e os órgãos. Nas organizações maiores, o processamento da inteligência das membranas é tarefa de células especializadas dos sistemas imune e nervoso do organismo.

Foi somente 700 milhões de anos atrás (algo relativamente recente se pensarmos no tempo de vida do planeta) que as células perceberam as vantagens de se agrupar e formar as comunidades e organizações que hoje conhecemos como animais e plantas. As mesmas moléculas coordenadoras de sinais usadas pelas células independentes passaram a ser utilizadas nessas novas comunidades. Organizando a distribuição das moléculas sinalizadoras funcionais, a comunidade de células pode coordenar melhor suas funções e agir como uma única forma de vida. Nos organismos multicelulares mais primitivos, aqueles sem sistema nervoso especializado, o fluxo das moléculas sinalizadoras dentro da comunidade fazia o papel de "mente", representado pelas informações coordenadas divididas entre todas as células. Nesses organismos, cada célula lia diretamente as informações do ambiente e fazia os ajustes comportamentais necessários.

Mas quando as células passaram a estabelecer comunidades, uma nova política teve de ser criada. As células não podiam mais agir de forma independente, de acordo com sua vontade própria. O termo "comunidade" implica que todos os membros devem agir dentro de um plano comum. Em animais multicelulares, cada uma delas pode "ver" o ambiente fora de sua própria "pele", mas não tem consciência do que se passa em ambientes mais distantes, especialmente aqueles fora do organismo. De que maneira uma célula do fígado, imersa dentro da víscera, pode agir em resposta a um fator externo ao corpo, como,

por exemplo, um ladrão que invadisse nossa casa? O controle de um sistema tão complexo de comportamento necessário para garantir a sobrevivência de uma organização multicelular é então incorporado por um sistema central de processamento de informações.

À medida que animais mais complexos foram surgindo, as células especializadas assumiram a tarefa de monitorar e organizar o fluxo das moléculas sinalizadoras e reguladoras de comportamento. Estabeleceram uma rede nervosa e um processador central de informações chamado cérebro. A função do cérebro é coordenar o diálogo entre as moléculas sinalizadoras dentro da comunidade. O resultado disso é que, em uma comunidade de células, todas elas devem se submeter ao controle de uma autoridade maior. O cérebro controla o comportamento de todas as células do corpo. Isso é algo importante a se considerar antes de acusar as células de nossos órgãos e tecidos pelos problemas de saúde que temos.

EMOÇÕES: A LINGUAGEM DAS CÉLULAS

Em formas mais evoluídas e conscientes de vida, o cérebro desenvolveu um nível de especialização, que permite a toda a comunidade refinar seus sinais reguladores. A evolução do sistema límbico estabeleceu um mecanismo único que converteu os sinais de comunicação química em sensações acessíveis a todas as células da comunidade. Nossa mente consciente interpreta esses sinais como emoções. A mente consciente não só é capaz de "ler" o fluxo de sinais de coordenação celular que compõem toda a "mente" do corpo, como também de gerar as emoções, que se manifestam por meio da emissão controlada de sinais pelo sistema nervoso.

Enquanto eu estudava os mecanismos do cérebro da célula e entendia melhor as operações do cérebro humano, Candace Pert estudava o cérebro humano e passava a compreender melhor os mecanismos do cérebro das células. Em seu livro *Molecules of emotion* [Moléculas de emoção], Pert revela como seus estudos sobre os receptores-processadores de informações da membrana das células nervosas a levaram a descobrir que os mesmos receptores "neurais" estavam presentes na maioria (se não em todas) as células do corpo. Suas experiências a levaram à conclusão de que a "mente" não se concentra apenas na cabeça, mas sim que está distribuída em moléculas sinalizadoras presentes no corpo todo. Outra descoberta importante foi que as emoções não se originam apenas de respostas do corpo ao ambiente. Por meio da autoconsciência, a mente pode usar o cérebro para gerar "moléculas de emoção" e agir sobre todo o sistema. Enquanto o uso apropriado da consciência pode tornar um corpo doente mais saudável, o controle inconsciente inapropriado das emoções podem causar muitas doenças, um assunto que vou abordar com mais detalhes nos Capítulos 6 e 7. "Moléculas de emoção" é um livro instigante, que descreve detalhadamente os processos das descobertas científicas, além de revelar também os esforços dos pesquisadores de tentar introduzir novas "idéias" ao Clube dos Cientistas Antigos, algo que eu conheço muito bem! (Pert, 1997).

O sistema límbico representou um grande avanço em termos de evolução devido à sua habilidade de captar e coordenar o fluxo de sinais reguladores de comportamento dentro da comunidade celular. À medida que o sistema interno de sinais evoluía, sua grande eficiência permitia ao cérebro aumentar de tamanho. Com isso, os organismos

multicelulares aumentaram seu número de células especializadas em reagir a uma quantidade ainda maior de sinais externos do ambiente. Enquanto as células individuais respondem apenas a percepções sensoriais mais simples como "vermelho, aromático e doce", as habilidades desenvolvidas dos cérebros dos animais multicelulares conseguem combinar todas essas sensações e identificar "maçã".

Os reflexos comportamentais básicos adquiridos durante a evolução são passados às novas gerações sob a forma de instintos genéticos. A evolução dos cérebros maiores, com sua grande população de células neurais, ofereceu aos organismos a oportunidade não apenas de poder confiar em seus instintos comportamentais como também de aprender com as experiências. Aprender um novo reflexo ou comportamento é basicamente um produto do condicionamento. Por exemplo: Pavlov treinou seus cães para salivar toda vez que ouviam o toque de um sino. Primeiro, ensinou-lhes a associar o som com o estímulo de receber alimentos. Depois de algum tempo, tocava o sino mas não oferecia comida. Só que os cães já estavam tão programados a serem alimentados que, toda vez que o sino tocava, começavam a salivar mesmo que não houvesse alimento presente. Trata-se de um comportamento reflexo "inconsciente" adquirido.

O comportamento reflexo pode ser algo simples (como o levantar da perna quando o martelinho do médico toca o nosso joelho) ou mais complexo (como dirigir um carro a 80 quilômetros por hora em uma rodovia cheia e, ao mesmo tempo, conversar com o passageiro). Embora as respostas comportamentais condicionadas possam ser muito complexas, elas não envolvem o uso do cérebro. Por intermédio do processo de aprendizagem condicionada, as reações químicas neurais entre os estímulos e as respostas comportamentais

se consolidam para garantir um padrão repetitivo. Essas reações consolidadas se chamam "hábitos". O cérebro de animais menos desenvolvidos é condicionado a utilizar respostas habituais aos estímulos. Os cães de Pavlov salivavam por simples reflexo... não por intenção consciente. As ações da mente subconsciente são reflexivas por natureza, e não governadas pela razão ou pelo pensamento. Fisicamente, esse tipo de mente está associada a atividades de todas as estruturas do cérebro de animais que não têm autoconsciência desenvolvida.

Humanos e alguns mamíferos desenvolveram uma região especializada do cérebro associada ao pensamento, planejamento e tomada de decisões chamada córtex pré-frontal. Essa parte do cérebro parece ser o centro do processamento da "autoconsciência". A mente autoconsciente é auto-refletora, um novo "órgão sensor" que observa nosso comportamento e emoções. Essa mente autoconsciente também tem acesso à maior parte das informações armazenadas em nosso banco de memória. Trata-se de um recurso extremamente importante, que nos permite lembrar de todo o nosso histórico de vida e assim poder planejar nossas ações futuras.

Além de ser auto-refletora, a mente autoconsciente é extremamente poderosa. Observa todos os comportamentos programados que adotamos, avalia cada um deles e decide conscientemente se deve modificá-los. Podemos escolher como reagir à maioria dos sinais do ambiente e até se vamos ou não reagir a eles. A capacidade da mente consciente de se sobrepor aos comportamentos programados da mente inconsciente é o que nos permite ter livre-arbítrio.

No entanto, essa faculdade especial também é uma espécie de cilada. Enquanto a maioria dos organismos precisa receber diretamente um estímulo específico para reconhecê-lo, a habilidade

do cérebro humano de "aprender" é tão avançada que podemos adquirir determinadas percepções indiretamente, a partir da experiência de outras pessoas. Mas uma vez que aceitamos essas percepções como "verdades", elas se tornam definitivas em nosso cérebro e passam a ser nossas próprias "verdades". E aí está o problema: e quando as percepções de nossos "professores" estão erradas? Acabamos absorvendo informações imprecisas. A mente subconsciente é basicamente um dispositivo (interruptor) de estímulo-reação. Não há "fantasmas" nesta "máquina" capazes de avaliar as conseqüências de cada programação que absorvemos. O subconsciente trabalha somente no momento "presente". Conseqüentemente, as impressões equivocadas não são "monitoradas" e acabam nos fazendo desenvolver comportamentos inapropriados e limitadores.

Se dentro de cada exemplar deste livro houvesse uma cobra viva, você provavelmente jogaria o seu bem longe assim que o abrisse e sairia correndo. Quem quer que tenha lhe "mostrado" uma cobra pela primeira vez, incutiu em sua mente uma lição de vida aparentemente importante: "Está vendo aquilo? É uma cobra... muito perigoso!" O sistema de memória subconsciente capta e armazena sem filtros, e muito rapidamente, todo tipo de percepção do ambiente sobre objetos e situações que ameacem a vida ou o corpo físico. Se lhe ensinaram que cobras são perigosas, toda vez que você depara com uma delas adota (inconscientemente) uma postura defensiva para se proteger.

Mas, e se um herpetologista resolvesse ler este livro e encontrasse a cobra? Ele não apenas ficaria curioso como também muito contente com o brinde. Ou, pelo menos, ficaria contente ao descobrir que a cobra brinde não é perigosa, iria pegá-la e se divertir estudando seu comportamento. Para os herpetologistas, a sua reação programada de fugir da cobra é algo irracional, pois nem todas as cobras são perigosas. Lamentam que a maioria das pessoas não tenha o prazer de estudar essas criaturas tão interessantes. Portanto, a mesma cobra, ou seja, o mesmo estímulo é capaz de gerar reações completamente diferentes.

Nossas respostas aos estímulos do ambiente são controladas pela percepção: no entanto, nem todas as formas de percepção que temos são precisas, assim como nem todas as cobras são perigosas! Sim, a percepção "controla" a biologia, mas como já vimos, ela nem sempre é precisa. Um sinônimo adequado para esse tipo de percepção que controla o comportamento é a palavra crença.

As crenças controlam a biologia!

Pense no significado dessa frase. Temos a capacidade de avaliar conscientemente nossas respostas aos estímulos do ambiente e de modificar determinadas reações arraigadas em nosso sistema a qualquer momento... bastando para isso manipular a poderosa mente subconsciente, mas abordarei esse assunto com mais detalhes no Capítulo 7. O mais importante é termos consciência de que nossos genes ou nosso comportamento autodestrutivo não são algo definitivo e imutável a que estamos presos!

COMO A MENTE CONTROLA O CORPO

Minha teoria de como as crenças controlam a biologia baseia-se em meus estudos de clonagem de células endoteliais, que

fazem parte da parede dos vasos sanguíneos. Esse tipo de célula monitora detalhadamente o ambiente ao seu redor e modifica seu comportamento com base nas informações que obtém. Quando eu lhes fornecia nutrientes, elas se moviam em direção ao alimento abertas e receptivas. Já quando eu estabelecia um ambiente tóxico, elas se afastavam do estímulo que recebiam e tentavam estabelecer uma barreira contra os agentes nocivos. Minha pesquisa se concentrou nos dispositivos da membrana que controlam essas mudanças de comportamento.

O primeiro dispositivo que estudei tem um receptor de proteína que responde ao estímulo da histamina, uma molécula que o corpo usa e que funciona de maneira semelhante à de um alarme de emergência. Descobri que há dois tipos de dispositivo, o H1 e o H2, que respondem ao mesmo sinal de histamina. Quando ativados, os interruptores com receptores de histamina H1 provocam uma reação de proteção semelhante à das células cultivadas em ambientes com elementos tóxicos. Os interruptores que contêm receptores de histamina desencadeiam uma reação de crescimento à histamina semelhante à das células cultivadas em ambiente com nutrientes.

Descobri também que o sinal de resposta a situações de emergência do corpo, a adrenalina, tem dispositivos que respondem a dois receptores diferentes sensíveis a ela chamados *alfa* e *beta*. Esses receptores provocaram nas células o mesmo tipo de comportamento que a histamina. Se o receptor supra-renal *alfa* pertence a um dispositivo PIM, provoca uma reação de proteção assim que capta a presença da adrenalina. Já quando o dispositivo tem um receptor *beta*, o mesmo sinal de adrenalina ativa uma reação de crescimento (Lipton *et al.*, 1992).

Tudo isso é muito interessante, mas minha maior descoberta ocorreu quando introduzi simultaneamente histamina e adrenalina nas culturas. Descobri que os sinais de adrenalina emitidos pelo sistema nervoso central são mais potentes e cancelam a influência dos sinais de histamina produzidos localmente. É onde entra a lei da comunidade que descrevi. Imagine que você trabalha em um banco e que o gerente lhe deu uma ordem. Mas o presidente ou o CEO lhe dá uma ordem contrária. A qual dos dois você irá obedecer? Se tem intenção de manter o emprego, o melhor é obedecer ao CEO. Em nosso corpo ocorre o mesmo tipo de prioridade. As células seguem as instruções do sistema nervoso central mesmo que estejam em conflito com os estímulos locais.

Fiquei muito satisfeito com o resultado das pesquisas, pois revelaram em nível celular uma realidade dos organismos multicelulares: a mente (agindo por intermédio da adrenalina do sistema nervoso central) é mais forte que o corpo (sinais de histamina local). Minha intenção era divulgar as implicações de minhas experiências em uma publicação acadêmica, porém meus colegas quase tiveram apoplexia quando souberam que eu iria mencionar uma teoria sobre a conexão corpo-mente em uma tese sobre biologia celular. Fiz então uma menção sobre a compreensão do significado do estudo, mas não pude explicar o assunto em detalhes. Ninguém queria que eu incluísse as implicações de minhas pesquisas porque a mente não é um conceito academicamente aceitável na biologia. Os biocientistas são totalmente newtonianos. Para eles, tudo o que não existe como matéria não merece consideração, e como a "mente" é uma forma de energia não específica, não é relevante. O universo da mecânica quântica, porém, já provou inúmeras vezes que essa "crença" é equivocada!

PLACEBOS: O EFEITO DA CRENÇA

Mesmo superficialmente, todo aluno de medicina aprende que a mente tem influência direta sobre o corpo e sabe que as pessoas se sentem melhor quando pensam (ainda que não seja verdade) que estão tomando medicamentos. A cura ou a melhora pela ingestão de pílulas de açúcar é classificada como "efeito placebo". Meu amigo Rob Williams, fundador da Psych-K, um sistema psicológico de tratamento com base em energia, sugere que o melhor termo a ser usado nesses casos é "efeito percepção". Eu prefiro chamar de "efeito-crença" para enfatizar que nossas percepções, sejam elas precisas ou não, têm grande impacto sobre nosso comportamento e nosso corpo.

Considero o efeito-crença uma prova da habilidade de cura da mente/corpo. No entanto, por se tratar de algo que "ocorre apenas na mente", o efeito placebo tem sido associado pela medicina a algo que só funciona com charlatães ou, na melhor das hipóteses, com pacientes fracos e sugestionáveis. Mas o assunto é abordado muito rápida e superficialmente nas escolas de medicina. Os professores passam logo às matérias que tratam das verdadeiras ferramentas modernas: as drogas e a cirurgia.

Infelizmente, isso é um grande erro. O efeito placebo deveria ser um dos principais tópicos de estudo para estudantes de medicina. Os médicos deveriam ser treinados para reconhecer o poder de nossos recursos internos, e não para considerar o poder da mente como algo simples e inferior ao poder dos elementos químicos ou de um bisturi. Está na hora de deixarem de lado sua convicção de que o corpo e seus membros são desprovidos de inteligência e que precisamos de elementos externos para manter a saúde.

O efeito placebo deveria ser alvo de pesquisas patrocinadas. Se os pesquisadores descobrissem como utilizá-lo, poderíamos ter uma ferramenta mais eficiente, à base de energia e sem efeitos colaterais, para tratar as doenças. Os profissionais que utilizam a energia como instrumento de cura afirmam já ter essas ferramentas; porém, como cientista, acredito que, quanto mais descobrirmos sobre a ciência do placebo, mais facilmente poderemos utilizá-la sob condições clínicas.

Creio que este desprezo da medicina em relação à mente seja resultado não apenas do pensamento dogmático, mas também de aspectos financeiros. Se o poder da mente pode curar doenças, para que ir ao médico? E o mais importante: por que tomar remédios? Para meu desgosto, descobri recentemente que a indústria farmacêutica vem estudando os pacientes que reagem ao tratamento com pílulas de açúcar com o objetivo de eliminá-los das experiências médicas. É desconcertante para essas empresas saber que na maioria dos experimentos seus medicamentos "falsos" têm o mesmo efeito que os grandes coquetéis químicos (Greenberg, 2003). Embora essas empresas insistam em afirmar que não estão tentando, com isso, fazer com que medicamentos ineficazes sejam aprovados pelo governo, fica claro que a eficácia das pílulas placebo são uma ameaça para elas. A mensagem é muito clara para mim: já que não conseguimos competir com o placebo de maneira honesta, vamos eliminar a competição!

É engraçado pensar que os médicos não são treinados para lidar com o efeito placebo, pois alguns historiadores afirmam categoricamente que a história da medicina é a história do placebo. No início, os médicos não dispunham de métodos eficazes para curar as doenças. Os métodos mais conhecidos no passado eram a sangria,

o tratamento de ferimentos com arsênico e o famigerado veneno de cobra, utilizado para todos os fins. É claro que pelo menos um terço dos pacientes, aqueles considerados suscetíveis ao efeito placebo, apresentavam melhoras com esses tratamentos. E, mesmo no mundo de hoje, quando os médicos em seus aventais brancos receitam um tratamento, os pacientes acreditam que vão melhorar e acabam melhorando, seja por meio de pílulas de verdade ou apenas de açúcar.

Embora a questão de como o placebo age ainda seja ignorada pela medicina, alguns pesquisadores já começam a prestar mais atenção no assunto. Os resultados de seus estudos sugerem que não apenas os tratamentos utilizados no século 19 como a sofisticada tecnologia da medicina atual, com todas as suas ferramentas "concretas", pode estimular o efeito placebo.

Um estudo da Escola de Medicina Baylor publicado em 2002 no *New England Journal of Medicine* avaliou o resultado de cirurgias em pacientes com problemas sérios de dores nos joelhos (Moseley *et al.*, 2002). O principal autor do estudo, doutor Bruce Moseley, "sabia" que a cirurgia ajudava seus pacientes: "Todo bom cirurgião sabe que não há efeito placebo em cirurgias". Mas ele queria descobrir qual parte da cirurgia trazia alívio aos pacientes. Dividiu-os em três grupos e raspou a região da cartilagem danificada de um grupo. No outro grupo, afastou a junta do joelho e eliminou, com a ajuda de um jato d'água, a parte que imaginava estar causando a inflamação. Os dois métodos são considerados tratamentos-padrão para problemas de artrite nos joelhos. Já no terceiro grupo, Moseley "simulou" uma cirurgia. Sedou o paciente e fez três incisões em seu joelho. Durante todo o tempo agiu como se estivesse realmente executando a cirurgia. Jogou até água sobre o local para simular o

procedimento. Após 40 minutos costurou as incisões. Prescreveu aos pacientes dos três grupos o mesmo tratamento pós-cirurgia, que incluía um programa de exercícios.

O resultado foi impressionante. Sim, os grupos que receberam a cirurgia de verdade obtiveram melhoras. Mas o grupo placebo também! A conclusão é que, apesar de serem realizadas mais de 650 mil cirurgias em joelhos com artrite por ano, cada uma delas por cerca de 5 mil dólares, uma coisa ficou muito clara para Moseley, que declarou: "Minhas habilidades de cirurgião não resultaram benefício algum para esses pacientes. O único efeito em todas elas foi o placebo". Os programas de TV anunciaram os resultados da pesquisa e mostraram imagens do grupo placebo andando, jogando basquete e desempenhando tarefas que não conseguiam antes da "cirurgia". Só ficaram sabendo que não tinham sido operados de verdade dois anos depois. Um deles, chamado Tim Perez, disse que antes andava com a ajuda de uma bengala, mas que hoje consegue jogar basquete com os netos. Em uma declaração para o *Discovery Health Channel*, resumiu o tema de seu livro: "Qualquer coisa é possível neste mundo desde que sua mente queira. A mente é capaz de verdadeiros milagres".

Estudos mostram que o efeito placebo também é eficaz no tratamento de diversas outras doenças como a asma e o mal de Parkinson. Em casos de depressão, já se tornou um dos principais métodos utilizados, algo tão comum que o doutor Walter Brown, da Brown University School of Medicine, sugere pílulas de açúcar como primeiro tratamento em casos de depressão moderada (Brown, 1998). Os pacientes são informados de que estão tomando remédios sem ingredientes ativos, mas isso não atrapalha o tratamento. Pes-

quisas mostram que mesmo quando eles sabem que estão tomando placebo, o efeito acaba sendo positivo.

Uma indicação do poder do placebo é apresentada em um relatório do Departamento norte-americano de saúde e assistência social. Segundo o documento, metade dos pacientes com depressão profunda que toma medicamentos com ingredientes ativos melhora e 32 por cento daqueles que tomam placebo obtêm os mesmos resultados (Horgan, 1999). Mesmo esse estudo, porém, subestima o poder do placebo, pois muitos participantes da pesquisa percebem que estão tomando um medicamento verdadeiro porque sentem os efeitos colaterais que os outros, que tomam apenas placebo, não sentem. Então, uma vez acreditando que estão tomando pílulas de verdade, tornam-se ainda mais suscetíveis ao efeito placebo.

Bem, com tantos efeitos positivos do placebo, não é de se surpreender que a indústria de antidepressivos de 8,2 bilhões de dólares esteja sendo acusada de exagerar na propaganda sobre a eficácia de suas pílulas. Em um artigo publicado em 2002 no periódico *Prevention & Treatment*, da *American Psychological Association* [Associação Psicológica Norte-Americana], "*The emperor's new drugs*" [As novas drogas do imperador], o professor de psicologia Irving Kirsch, da Universidade de Connecticut, afirma ter descoberto que 80 por cento do efeito dos antidepressivos, segundo experiências clínicas, pode ser atribuído ao efeito placebo (Kirsch *et al.*, 2002). Kirsch usou a lei de liberdade de informações em 2001 para obter informações sobre as experiências clínicas feitas com os antidepressivos mais utilizados no mercado. Não se trata de dados extraídos do instituto *Food and Drug Administration* (FDA). Os números mostram que em mais da metade dos casos os antidepressivos

não foram mais eficazes que o placebo. Kirsch declarou em uma entrevista para o *Discovery Health Channel*: "A diferença entre o efeito das drogas e o do placebo foi menos de dois pontos na média da escala clínica, que vai de 50 a 60 pontos. É uma diferença muito pequena, quase insignificante sob o ponto de vista clínico".

Outro fato interessante sobre o efeito dos antidepressivos é que eles vêm obtendo desempenho cada vez melhor em testes clínicos nos últimos anos, o que sugere que seus efeitos placebo se devem, em grande parte, a estratégias de *marketing*. Quanto mais os efeitos milagrosos dos antidepressivos são divulgados pela mídia e pela propaganda, mais eficazes eles se tornam. As crenças são contagiosas! Vivemos hoje em uma cultura em que as pessoas acreditam que os antidepressivos funcionam. Por isso eles funcionam.

Uma *designer* do interior da Califórnia chamada Janis Schonfeld, que participou de um teste clínico sobre a eficácia do medicamento Effexor [venlafaxine] em 1997, ficou tão surpresa quanto Perez ao descobrir que vinha tomando placebo. Os comprimidos não apenas aliviaram a depressão que a incomodava havia 30 anos, como os exames que fez mostraram que a atividade de seu córtex pré-frontal havia aumentado (Leuchter *et al.*, 2002). Mas a melhora não foi apenas no cérebro. Quando nossa mente se modifica, o corpo acompanha as mudanças. Schonfeld também sentiu náuseas, um efeito colateral bastante comum do Effexor. Como a maioria dos pacientes que melhora após um tratamento com placebo e depois descobre que estava tomando pílulas de açúcar, ela achou que o médico tivesse se enganado. Tinha certeza de que estava tomando o remédio verdadeiro e pediu que fossem refeitos todos os exames para se certificar.

NOCEBOS: O PODER DA CRENÇA NEGATIVA

A maioria dos médicos conhece bem o efeito placebo, mas muito poucos prestam atenção à sua capacidade de levar à autocura. Se o pensamento positivo pode tirar alguém da depressão e curar um joelho com problemas, imagine o que o pensamento negativo pode fazer. Quando a mente faz com que a saúde de uma pessoa melhore, chamamos o processo de efeito placebo. Já quando a mente emite sugestões negativas que podem afetar a saúde, os efeitos causados são chamados efeitos "nocebo".

Na medicina, o efeito nocebo pode ser tão poderoso quanto o placebo. Tenha isso em mente toda vez que pisar em um consultório médico. Com seu discurso e atitudes, os médicos podem transmitir mensagens que desanimam os pacientes, que não têm justificativa. Albert Mason, por exemplo, acha que sua falta de habilidade para transmitir otimismo a seus pacientes foi o que impediu a cura dos pacientes de ictiose. Outro exemplo é o do poder de declarações do tipo: "Você tem seis meses de vida". Se o paciente realmente acredita nas palavras de seu médico, é bem provável que não viva mais que isso.

Decidi mencionar um programa do *Discovery Health Channel* de 2003 neste capítulo porque contém diversos casos interessantes. Um deles é o de um médico de Nashville, Clifton Meador, que estuda há 30 anos o potencial do efeito nocebo. Em 1974, um de seus pacientes, Sam Londe, um vendedor aposentado, teve câncer de esôfago, uma doença considerada na época 100 por cento fatal. Apesar de todos os tratamentos, os médicos "sabiam" que não havia chance de cura e ninguém se surpreendeu com sua morte algumas semanas depois de anunciado o diagnóstico.

A surpresa veio depois de sua morte, quando uma autópsia revelou que havia muito pouco vestígio de câncer em seu corpo, uma quantidade insuficiente para matá-lo. Apenas alguns pontos no fígado e um no pulmão. Nenhum sinal do câncer de esôfago que todos supunham ter sido a causa da morte. Meador declarou ao *Discovery Health Channel*: "Ele morreu com câncer, não de câncer". Mas qual foi a causa, afinal? Londe morreu porque acreditava que iria morrer. Mesmo décadas depois, Meador ainda não se esqueceu do caso: "Pensei que ele estivesse com câncer e ele também pensou. Todos tinham certeza do diagnóstico. Mas será que eu tirei suas esperanças?" Muitos casos de nocebo mostram que nossos médicos, pais e professores podem diminuir ou mesmo eliminar nossas esperanças nos programando para acreditar que não temos capacidade ou forças para reagir.

Nossas crenças positivas e negativas têm impacto não apenas sobre nossa saúde como também sobre outros aspectos de nossa vida. Henry Ford estava certo a respeito da eficácia da linha de produção como também sobre o poder da mente: "Não importa se você acredita ou não que pode fazer algo... você está certo". Pense no ato do cientista que tomou um copo cheio de água com bactérias que a medicina afirmava causar cólera e nas pessoas que caminham sobre carvão em brasa sem se queimar. Se por um instante sequer elas vacilassem, sofreriam sérias queimaduras. Suas crenças agem como filtros de uma câmera. E sua biologia se adapta a elas. Quando reconhecemos o poder de nossas crenças descobrimos a chave da liberdade. Não podemos modificar nossos códigos de programação genética, mas podemos modificar nossa mente.

Em minhas palestras costumo distribuir às pessoas duas pequenas tiras de filme plástico, uma verde e outra vermelha. Peço que escolham uma delas, coloquem-na em frente aos olhos e olhem para uma tela em branco. Projeto uma imagem na tela e peço que me digam o que ela lhes transmite: amor ou medo. Aqueles que escolhem o filtro de "crença" vermelho enxergam a figura convidativa de uma casa de campo sob o título "casa do amor". A casa é rodeada de flores e na porta há uma placa com a frase: "eu vivo com amor". Já os que escolhem o filtro verde enxergam um céu escuro, morcegos, cobras, um fantasma flutuando sobre uma casa escura e sombria com uma placa na porta: "eu vivo com medo". É muito interessante e ao mesmo tempo divertido ver a platéia ficar confusa porque metade responde "eu vivo com amor" e a outra metade responde "eu vivo com medo" embora estejam olhando para a mesma imagem.

Peço então que troquem o filtro e olhem novamente para a tela. Minha teoria é de que você pode escolher aquilo que quer ver. Pode alegrar sua vida com crenças coloridas que ajudam seu corpo a crescer ou usar filtros escuros que mostram apenas imagens escuras e deixam seu corpo e mente mais suscetíveis a doenças. Você pode escolher viver com medo ou com amor. Há sempre duas possibilidades! Quem escolhe o amor vive com mais saúde. Mas quem escolhe o mundo escuro do medo tem muito mais problemas, pois se isola fisiologicamente tentando se proteger.

Aprender a mudar sua mente para crescer e se desenvolver é o segredo da vida. Por isso dei a este livro o nome de *A biologia da crença*. Claro, o segredo da vida na verdade não é segredo algum. Mestres como Buda e Jesus já diziam isso séculos atrás. Agora a

ciência está caminhando na mesma direção. Não são nosso genes, mas sim nossas crenças que controlam nossa vida... oh, homens de pouca fé!

Esse conceito já serve como introdução ao próximo capítulo, em que trato com detalhes dos efeitos da escolha de viver com amor ou com medo sobre o corpo e a mente. Mas antes de terminar este capítulo, quero enfatizar que não há problema algum em viver com uma lente cor de rosa nos olhos. Na verdade, usar um filtro assim é necessário para que nossas células se desenvolvam e sobrevivam com mais facilidade. Pensamentos positivos são a base de uma vida feliz e saudável. Como dizia Mahatma Gandhi:

> Suas crenças se tornam seus pensamentos.
> Seus pensamentos se tornam suas palavras.
> Suas palavras se tornam suas ações.
> Suas ações se tornam seus hábitos.
> Seus hábitos se tornam seus valores.
> Seus valores se tornam o seu destino.

CAPÍTULO SEIS

CRESCIMENTO E PROTEÇÃO

A evolução nos trouxe diversos mecanismos de sobrevivência que podem ser divididos, *grosso modo*, em duas categorias: crescimento e proteção. Representam a base do comportamento que garante a vida dos organismos. Você pode não perceber, mas o crescimento é um fator vital para sua sobrevivência mesmo que você seja adulto. Todos os dias, bilhões de células em seu corpo se desgastam e precisam ser substituídas. Por exemplo: todo o revestimento celular interno de seus intestinos é renovado a cada 72 horas. Para manter essa reposição constante de células o corpo despende uma grande quantidade de energia diariamente.

Bem, a essa altura você não irá se surpreender se eu disser que descobri a verdadeira importância dos fatores crescimento e proteção no laboratório onde estudei o corpo humano e seus bilhões de células. Quando estava clonando células endoteliais humanas, observei que elas se afastavam das toxinas que eu introduzia em seu ambiente, assim como as pessoas fogem dos leões e dos assaltantes. Notei também que se moviam ou gravitavam em direção aos nutrientes assim como nós buscamos café da manhã,

almoço, jantar e amor. Esses dois movimentos opostos definem as duas reações celulares aos estímulos ambientais: a primeira é ir *em direção a* um sinal que promove a continuidade da vida – como os nutrientes – e que caracteriza uma resposta de crescimento, e a segunda é mover-se *em direção oposta a* um sinal ameaçador – como toxinas – que caracteriza uma reação de proteção. Também deve-se observar que alguns estímulos do ambiente são neutros e não geram reações de crescimento ou mesmo de proteção.

Minhas pesquisas em Stanford mostram que estes comportamentos de crescimento e proteção também são essenciais para a sobrevivência de organismos multicelulares como os seres humanos. Mas há um detalhe a ser mencionado sobre estes mecanismos opostos de sobrevivência que se desenvolvem há bilhões de anos: os dois não podem operar simultaneamente, ou seja, as células não podem se mover ao mesmo tempo para frente e para trás. As células de vasos sanguíneos humanos que estudei apresentavam um tipo de anatomia microscópica para o fator nutrição e outro completamente diferente para o fator proteção. Não podem utilizar os dois tipos de configuração simultaneamente (Lipton *et al.*, 1991).

Em uma reação similar à das células, os seres humanos também restringem seu comportamento de crescimento quando adotam o comportamento de proteção. Se você está fugindo de um leão, não há motivo para despender energia em crescimento. Para sobreviver (escapar do leão), você terá de reunir toda a sua energia para ativar mecanismos de luta ou de fuga. A redistribuição das reservas de energia para a reação de proteção invariavelmente resulta na redução do crescimento.

Além de desviar energia para a manutenção de tecidos e órgãos necessários para a reação de proteção, há mais um motivo para que o processo de crescimento seja inibido. Esse processo requer uma troca entre o organismo e o ambiente. Por exemplo: os alimentos são ingeridos e o que não é utilizado pelo corpo é expelido. Portanto, a reação de proteção fecha o sistema para proteger o organismo de qualquer ameaça externa.

Inibir o crescimento também debilita o sistema, pois trata-se não apenas de um processo que consome, mas também que gera energia. Como conseqüência, situações que envolvam reações prolongadas de proteção inibem a produção da energia que mantém a vida. Quanto mais um organismo permanece nesse estado, mais comprometido se torna seu nível de energia. Na verdade, uma situação que leve alguém a um "estado de terror" pode paralisar totalmente o processo de crescimento.

Por sorte não chegamos a esse ponto com tanta facilidade. Além disso, o processo de reação de crescimento e proteção nos organismos multicelulares é diferente daquele das células individuais. Nem todos os nossos 50 trilhões de células têm de entrar em processo de crescimento ou proteção ao mesmo tempo. A proporção de células em cada um deles depende da ameaça que o corpo capta. Podemos sobreviver algum tempo sob estresse, mas uma inibição crônica do mecanismo de crescimento pode comprometer severamente nossa vitalidade. Também é importante dizer que vivenciar a vitalidade plena é mais que simplesmente eliminar os fatores de estresse. Na seqüência contínua de crescimento e proteção, eliminar os fatores de estresse somente nos coloca em um ponto neutro do processo. Para estar bem de verdade, precisamos

não apenas eliminar os fatores estressantes como também vivenciar momentos intensos de alegria, amor e satisfação que estimulem nosso processo de crescimento.

A BIOLOGIA DE DEFESA DA COMUNIDADE

Em organismos multicelulares, os padrões de crescimento e proteção são controlados pelo sistema nervoso, responsável por monitorar e interpretar os sinais do ambiente e estimular reações apropriadas. Em comunidades multicelulares, o sistema nervoso age como o líder da nação que governa os cidadãos. Sempre que surge um aviso de situação de ameaça ou de estresse no ambiente sua função é alertar a comunidade celular.

Na verdade, o corpo tem dois sistemas distintos de proteção, ambos vitais para a manutenção da vida. O primeiro é o que oferece proteção contra ameaças externas chamado eixo HPA (hipotálamo-pituitário-adrenal). Quando não existe ameaça, ele permanece inativo e o crescimento é constante. Mas quando o hipotálamo capta ameaças no ambiente, aciona imediatamente o eixo enviando um sinal à glândula pituitária ou "glândula principal" (responsável pela organização dos 50 trilhões de células da comunidade), para manter a segurança do sistema e lidar com as ameaças que surgem.

Lembra-se do mecanismo estímulo-reação da membrana das células, as proteínas receptoras e executoras? As glândulas hipotálamo e pituitária são equivalentes. Assim como uma proteína receptora, o hipotálamo recebe e reconhece os sinais do ambiente, e a função da pituitária se assemelha à da proteína executora, colocando os

órgãos do corpo em ação. Como resposta às ameaças do ambiente, a pituitária envia um sinal às glândulas endócrinas para que elas acionem e coordenem a reação "fuga/luta" do corpo.

Esses estímulos atuam sobre o eixo HPA como uma reação em cadeia: a situação de estresse é registrada no cérebro, que faz o hipotálamo secretar um fator de liberação de corticotropina (CRF) que vai até a glândula pituitária. O CRF ativa hormônios específicos da pituitária, fazendo com que ela secrete e envie hormônios adrenocorticotrópicos (ACTH) para a circulação sanguínea. O ACTH segue então para as glândulas endócrinas nas quais funciona como sinal para a emissão de hormônios endócrinos de "fuga e luta". Esses hormônios de estresse coordenam as funções dos órgãos do corpo e nos fornecem condições psicológicas para lidar melhor com as situações de perigo.

Uma vez soado o alarme endocrinológico, os hormônios de estresse liberados na corrente sanguínea fazem com que os vasos sanguíneos do trato digestivo se contraiam, forçando o sangue que fornece energia a dar prioridade aos tecidos dos braços e pernas para que possamos nos mover com mais rapidez. Antes de ser enviado às extremidades, esse sangue estava concentrado nos órgãos viscerais. A redistribuição dele resulta na inibição das funções relacionadas ao crescimento. Sem um fluxo regular de sangue, os órgãos reduzem ações vitais como digestão, absorção, excreção e todas as outras que envolvem o crescimento das células e a produção de reservas de energia. Portanto, o estresse compromete a sobrevivência do corpo ao interferir em suas reservas de energia.

O segundo sistema de proteção do corpo é o sistema imunológico, que protege o organismo das ameaças que surgem sob a pele

como as causadas por bactérias e vírus. Quando acionado, o sistema imunológico consome grandes quantidades de energia.

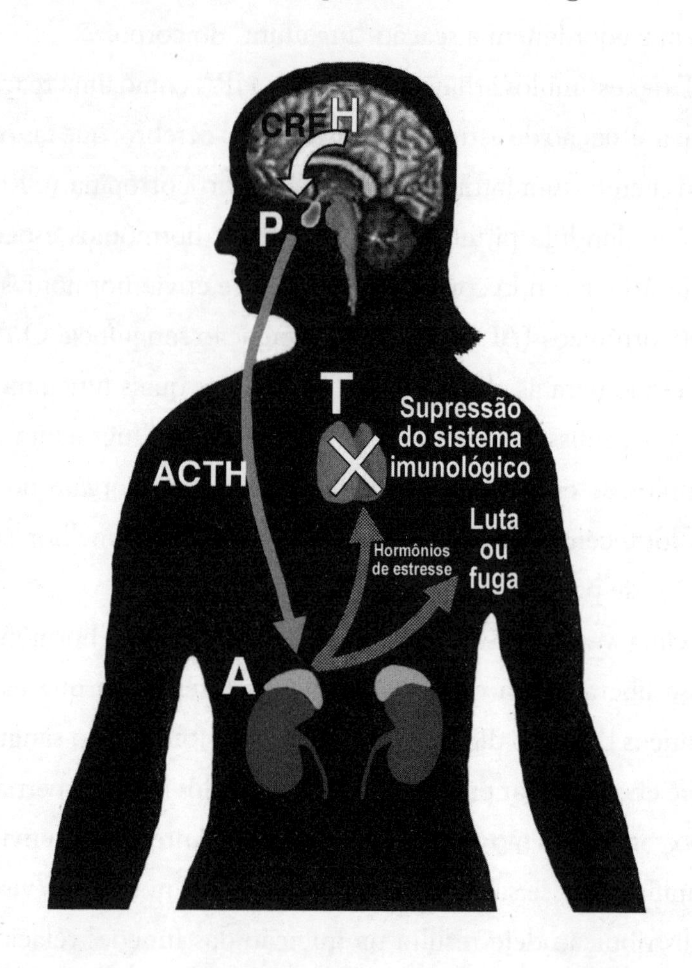

Para se ter uma idéia da quantidade de energia gasta neste processo, lembre-se de como você se sente fraco quando seu corpo é atacado por infecções como gripes e resfriados. Se o eixo HPA mobiliza o organismo a entrar em estado de luta ou fuga, os hormônios endocrinológicos inibem a ação do sistema imunológico para manter as reservas de energia. Na verdade, esses hormônios de estresse são tão eficazes na redução das funções do sistema imunológico que os

médicos os injetam em pacientes que passam por transplantes para que seu sistema imunológico não rejeite os órgãos implantados.

Mas porque o sistema endocrinológico inibe o imunológico? Imagine que você está em uma cabana no meio da savana da África e seu organismo foi atacado por uma infecção bacteriana que lhe causou uma forte diarréia. De repente, você ouve o rugido de um leão do lado de fora. Seu cérebro tem de tomar uma decisão rápida sobre qual ameaça deve ser priorizada. Não vai adiantar reagir às bactérias se o leão acabar devorando você. Então, o corpo interrompe a luta contra as bactérias e utiliza a energia para a fuga. No entanto, o uso do eixo HPA tem conseqüências: ele interfere em nossa capacidade de combater doenças.

Além disso, nossa capacidade de pensar com clareza também é afetada. O processamento de informações na parte anterior do cérebro, o centro da razão e da lógica, é significativamente mais lento que a atividade reflexa controlada pela parte posterior. Em situações de emergência, quanto mais rápido for o processamento, maiores serão as chances de sobrevivência do organismo. Os hormônios endocrinológicos contraem os vasos sanguíneos da parte anterior do cérebro, reduzindo suas funções. Além disso, os hormônios reduzem a atividade do córtex pré-frontal, o centro da ação consciente e voluntária. Em uma emergência, o fluxo vascular e os hormônios ativam a parte posterior, fonte de reflexos que mantêm e controlam de maneira mais eficaz os reflexos de luta ou fuga. Embora aumentem as chances de sobrevivência, os sinais de estresse podem causar um processamento mais lento da mente consciente e também a redução da inteligência. É um preço a se pagar (Takamatsu *et al.*, 2003; Arnsten e Goldman-Rakic, 1998; Goldstein *et al.*, 1996).

O MEDO MATA

Lembra-se de que mencionei o choque de meus alunos no Caribe quando apliquei aquele teste e eles não conseguiram sequer terminá-lo? O efeito provavelmente teria sido o mesmo se eu os tivesse colocado na presença de um leão faminto. E se tivessem ficado paralisados de medo no teste final também não teriam sido aprovados. A verdade é que, quanto mais tensos ou com medo ficamos, menos inteligência demonstramos. Todo professor sabe que alguns alunos "não têm bom perfil para testes". Basta estar na frente de uma folha de exame e suas mãos começam a tremer. Acabam indo mal simplesmente porque, em estado de pânico, não conseguem acessar as informações que seu cérebro acumulou cuidadosamente durante o semestre inteiro.

O sistema HPA é um mecanismo brilhante para momentos de estresse. Porém, não foi desenvolvido para ser constantemente ativado. No mundo de hoje, a maioria das situações de estresse que vivenciamos não têm um perfil físico e concreto ao qual podemos simplesmente reagir e continuar a viver normalmente. Somos constantemente perturbados por uma série de problemas não resolvidos em nossa rotina, em nosso trabalho e em nossa comunidade global. Não são situações que ameaçam diretamente nossa sobrevivência, mas que ativam o eixo HPA e resultam em níveis crônicos e elevados de hormônios de estresse.

Para ilustrar os efeitos adversos de quantidades maiores e constantes de adrenalina no organismo, vamos usar o exemplo de uma corrida. Um time de maratonistas saudável e bem treinado se coloca na linha de largada. Quando ouvem o comando "atenção!", todos se

agacham e ficam apoiados nas mãos e com os pés nos apoios. Ao segundo comando, "preparar!", seus organismos liberam hormônios de adrenalina que facilitam a reação de fuga e preparam os músculos para a árdua tarefa que os espera. Enquanto estão em posição de preparo, esperando o comando "já!", seus corpos antecipam o esforço. Em uma corrida normal, a tensão dura somente alguns segundos antes da largada. Mas, imaginemos uma situação em que, por algum motivo, ninguém grita "já!" e os atletas têm de ficar esperando. Seus corpos estão preparados, seu sangue está cheio de adrenalina e a ansiedade de ouvir o comando começa a desgastá-los. E, mesmo que estejam psicologicamente preparados para a espera, em alguns segundos eles podem entrar em colapso devido à tensão.

Hoje vivemos em um mundo no qual "preparar!" é o comando principal. Um número cada vez maior de estudos e pesquisas mostra que nosso estado constante de tensão e vigília acaba afetando severamente nossa saúde. As situações estressantes a que estamos expostos em nosso dia-a-dia ativam constantemente o eixo HPA, preparando nosso corpo para a ação. Mas como não estamos em uma competição esportiva, o estresse de toda a pressão, medo e preocupação não é liberado. A maioria das doenças humanas está relacionada ao estresse crônico (Segerstrom e Miller, 2004; Kopp e Réthelyi, 2004; McEwen e Lasky, 2002; McEwen e Seeman, 1999).

Em um estudo interessante publicado em 2003 na *Science*, pesquisadores questionavam porque pacientes que utilizam medicamentos antidepressivos SSRI [*Selective Serotonin Reuptake Inhibitors*], como o Prozac e o Zoloft, não apresentam melhora imediata. É necessário um período de ao menos duas semanas para que comecem a sentir os efeitos. O estudo revelou que pessoas com depressão

apresentam uma surpreendente falta de divisão de células na região do cérebro chamada hipocampo, uma parte do sistema nervoso relacionada à memória. As células do hipocampo se renovaram e se dividiram à medida que os pacientes começaram a sentir as mudanças de humor causadas pelos medicamentos SSRI. Esse e outros estudos colocam em jogo a teoria de que a depressão é meramente o resultado de um "desequilíbrio químico" que afeta a produção de elementos químicos monoamínicos de sinalização, mais especificamente a serotonina. Se fosse algo tão simples, as drogas SSRI restaurariam o equilíbrio químico imediatamente após sua ingestão.

Cada vez mais pesquisadores associam a inibição do crescimento neural pelos hormônios de estresse à depressão. Em pacientes com depressão crônica, o hipocampo e o córtex pré-frontal, o centro do raciocínio, encontra-se fisicamente retraído. Uma revisão desse estudo publicada na *Science* informa: "Uma hipótese hoje considerada mais provável é a de que o estresse, e não a monoamina, seja a causa de sobrecarga no cérebro que leva à depressão. A personagem mais proeminente desta teoria é o eixo hipotálamo-pituitário-adrenal (HPA)" (Holden, 2003).

O efeito do eixo HPA sobre a comunidade celular reflete o efeito do estresse sobre a população humana. Imagine a humanidade na época da Guerra Fria, em que a possibilidade de um ataque nuclear dos russos rondava o tempo todo a mente dos norte-americanos. Assim como as células em um organismo multicelular, os membros da sociedade na época da Guerra Fria desempenhavam funções que contribuíam para o crescimento comum e interagiam relativamente bem. As fábricas produziam, as construtoras criavam novos prédios e casas, os supermercados vendiam alimentos e as

crianças freqüentavam a escola. A comunidade era saudável porque seus membros trabalhavam para um objetivo comum.

Mas de repente uma sirene informando um ataque aéreo ecoa pela cidade. Todos param de trabalhar e saem correndo, procurando a segurança de um abrigo antiaéreo. A harmonia da cidade é alterada enquanto os cidadãos, agindo em defesa da própria vida, vão em busca de proteção. Depois de cinco minutos, soa o alerta de que o perigo passou. Todos voltam ao trabalho e continuam sua vida em comunidade.

Porém, o que aconteceria se todos corressem para o abrigo e a sirene de que o perigo passou não soasse? Todos permaneceriam nos abrigos indefinidamente. Quanto tempo resistiriam? O senso de comunidade ruiria diante da falta de água e alimentos. Todos morreriam, até mesmo os mais fortes, porque o estresse crônico debilita. A comunidade sobrevive a períodos mais curtos de estresse, como algumas horas em um abrigo antiaéreo, mas períodos muito prolongados inibem o crescimento das células e destrói o organismo.

Outro exemplo da influência do estresse sobre a população é a tragédia de 11 de setembro nos Estados Unidos. Até o momento do ataque o país vivia em estado de crescimento. Mas no instante em que os terroristas agiram e as notícias se espalharam, todos se sentiram ameaçados. O impacto das declarações do governo, afirmando que poderia haver novos ataques, dispararam sinais endócrinos em todos os cidadãos, levando a comunidade de um estado de crescimento a um estado de proteção. Após alguns dias de medo constante, a vitalidade econômica do país foi tão afetada que o presidente teve de intervir. Para estimular novamente o crescimento, ele declarou: "Os Estados Unidos estão abertos a negociações". Mas levou algum tempo até os ânimos se acalmarem e a economia voltar ao normal. No entanto, até hoje os resquícios do terrorismo ameaçam a vitalidade do país. Como uma nação, deveríamos observar até que ponto o medo de futuros ataques terroristas ainda prejudica nossa qualidade de vida. De certa maneira os terroristas conseguiram o que queriam, pois nos colocaram em um estado crônico de proteção.

Sugiro a você que analise seus medos e a maneira como o comportamento de proteção afeta sua vida. Quais medos impedem o seu crescimento? De onde eles vêm? São realmente necessários? São reais? Contribuem de alguma maneira para sua vida? Vamos abordar com mais detalhes esses medos e de onde eles vêm no capítulo seguinte, sobre paternidade consciente. Se aprendemos a controlar nossos medos, podemos recuperar o controle de nossas vidas. O presidente Franklin D. Roosevelt conhecia a natureza destrutiva do medo e escolheu cuidadosamente suas palavras ao fazer à nação uma declaração sobre a Grande Depressão e a Guerra Mundial: "Não temos o que temer a não ser o próprio medo". Portanto, deixar de ter medo é o primeiro passo para se viver de maneira mais completa e feliz.

CAPÍTULO SETE

PATERNIDADE CONSCIENTE: A FUNÇÃO DE ENGENHARIA GENÉTICA DOS PAIS

A PATERNIDADE É CRUCIAL

Você provavelmente já ouviu o argumento sedutor de que, uma vez que os pais depositam seus genes nos filhos, podem ficar tranqüilos com relação a eles. Basta não maltratá-los, mantê-los alimentados e vestidos e deixar que os genes pré-programados os guiem. Essa teoria permite aos pais continuar tendo a mesma vida que tinham antes de ter filhos. Basta deixá-los em uma escola ou aos cuidados de uma babá o dia todo. Perfeito para os mais ocupados ou preguiçosos.

Também é uma teoria interessante para mim, que tenho duas filhas com personalidades radicalmente diferentes. Costumava pensar que isso acontecia porque elas tinham herdado pares de genes diferentes no momento da concepção; um processo de seleção no qual a mãe delas não tomou parte. Afinal, eu pensava, se elas cresceram no mesmo ambiente, o motivo da diferença só poderia ser da natureza (genes).

Hoje eu sei que a realidade é muito diferente. As novas descobertas da ciência confirmam o que nossos pais já sabiam havia muito

tempo: que os pais fazem toda a diferença, por mais que o mercado esteja cheio de livros que digam o contrário, como afirma o doutor Thomas Verny, pioneiro na área de psiquiatria pré-natal e perinatal: "As descobertas reveladas por estudos e textos de especialistas durante as últimas décadas estabelece, *sem a menor sombra de dúvida*, que os pais exercem grande influência sobre as características físicas e mentais de seus filhos" (Verny e Kelly, 1981).

Verny afirma que essa influência se inicia não após o nascimento, mas antes. Quando mencionou pela primeira vez que a criança é influenciada já no útero em seu livro *The secret of the unborn child* [A vida secreta da criança antes de nascer], publicado em 1981, as evidências eram preliminares e os "especialistas" se mostraram céticos. Como os cientistas pensavam que o cérebro humano não começava a funcionar senão após o nascimento, presumiam que as crianças não tivessem memória nem sentissem dor. Afinal, segundo Freud, criador do termo "amnésia infantil", a maioria das pessoas não se lembra do que se passou em sua vida antes dos três ou quatro anos de idade.

No entanto, psicólogos e neurocientistas estão desbancando o mito de que crianças pequenas não se lembram, não aprendem e que os pais são meros expectadores do desenvolvimento dos filhos. O sistema nervoso de fetos e crianças tem habilidades sensoriais e de aprendizado muito amplas e um tipo de memória que os neurocientistas chamam de memória implícita. Outro pioneiro em psicologia pré e perinatal, David Chamberlain, declara em seu livro *The mind of your newborn baby* [A mente do recém-nascido]: "A verdade é que a maioria de nossos conceitos sobre crianças era falsa. Elas não são simples seres mas, sim, criaturas complexas

com pensamentos também complexos e que desafiam a idade" (Chamberlain, 1998).

Essas criaturas tão pequenas e complexas têm uma vida no útero que influencia profundamente seu comportamento e sua saúde. "A qualidade de vida no útero, nosso primeiro lar, programa nossa suscetibilidade a doenças coronárias, ataque cardíacos, diabetes, obesidade e diversos fatores de nossa vida após o nascimento", afirma doutor Peter W. Nathanielsz em *Life in the womb: the origin of health and disease* (Nathanielsz, 1999) [A vida no útero: a origem da saúde e das doenças]. Recentemente, descobriu-se haver uma ligação estreita entre distúrbios crônicos comuns em adultos – como osteoporose, oscilações de humor e até mesmo psicose – e as influências sofridas em seu período pré e perinatal (Gluckman e Hanson, 2004).

Reconhecer o papel do ambiente pré-natal no desenvolvimento de doenças força os cientistas a reconsiderar o determinismo genético. Nathanielsz declara: "Há grandes evidências de que a programação da saúde e também do desempenho mental e físico de uma pessoa, em relação às condições de sua vida no útero, é tão importante quanto a dos genes, ou até mais. *Miopia genética* é o termo que melhor descreve a visão científica de que nossa saúde e nosso destino são controlados apenas pelos genes... Ao contrário do fatalismo relativo da miopia genética, compreender os mecanismos que controlam a qualidade de vida no útero pode nos permitir melhorar o início da vida de nossos filhos e dos filhos deles".

Os "mecanismos" de programação a que Nathanielsz se refere são os mecanismos epigenéticos que já mencionei, responsáveis pelos estímulos ambientais que controlam a atividade genética. Nathanielsz

afirma que os pais podem melhorar o ambiente pré-natal de seus filhos. Ao fazer isso, estão agindo como engenheiros genéticos. Claro, a idéia de que os pais podem transmitir modificações genéticas de sua vida aos filhos vai contra o darwinismo. Nathanielsz é um dos bravos cientistas que mencionam abertamente o nome de Lamarck: "... a passagem transgeracional de características por meio de processos não genéticos existe. Lamarck estava certo, embora os mecanismos dessa transmissão fossem desconhecidos em sua época".

A capacidade de resposta dos indivíduos às condições ambientais captadas por sua mãe antes de seu nascimento lhes permite aprimorar seu desenvolvimento genético e fisiológico e se adaptar melhor às projeções do ambiente. A mesma flexibilidade epigenética humana que permite a melhora e o desenvolvimento da qualidade de vida pode ter influência negativa e levar a uma série de doenças crônicas que se manifestam com a idade, caso o indivíduo enfrente circunstâncias difíceis em termos nutricionais ou ambientais durante o período fetal e neonatal de seu desenvolvimento (Bateson *et al.*, 2004).

As influências epigenéticas continuam após o nascimento da criança, pois os pais exercem muita influência durante o seu crescimento. Pesquisas recentes e fascinantes sobre o assunto revelam a importância da influência positiva dos pais no desenvolvimento dos filhos: "Para o cérebro em crescimento de uma criança, o mundo social oferece experiências importantes que configuram a expressão dos genes que determinam como os neurônios se conectam para criar as redes neurais que dão origem à atividade mental", declara o doutor Daniel J. Siegel em *The developing mind* (Siegel, 1999) [A mente em desenvolvimento]. Em outras palavras, as crianças necessitam de um ambiente positivo para ativar os genes que tornam o cérebro saudável.

Os pais, segundo revelam essas pesquisas, continuam a agir como engenheiros genéticos mesmo após o nascimento de seus filhos.

A PROGRAMAÇÃO PATERNA: O PODER DA MENTE SUBCONSCIENTE

Gostaria de contar por que eu – que me coloco na categoria daqueles que não estão preparados para ter filhos – questiono minhas convicções sobre o papel de pai. Claro, ninguém vai se surpreender se eu disser que esse tipo de questionamento se iniciou quando eu estava no Caribe, local em que meus estudos sobre a nova biologia se aprofundaram. Meu questionamento se inspirou, na verdade, em um evento nada positivo: um acidente de motocicleta. Eu estava indo dar uma palestra quando errei uma curva à grande velocidade. Por sorte estava usando capacete, pois bati com força a cabeça no chão. A motocicleta voou longe e eu fiquei desacordado por mais de meia hora. Meus alunos e colegas pensaram que eu tivesse morrido. Quando voltei à consciência, tive a impressão de que tinha quebrado todos os ossos do corpo.

Nos dias seguintes mal podia andar. Parecia uma versão do Quasímodo. Cada passo me fazia lembrar o velho adágio, que diz que "velocidade mata". Uma tarde, enquanto mancava para fora da sala após a aula, um aluno passou por mim e sugeriu que eu visitasse um de seus colegas, que era quiroprático. Como mencionei no capítulo anterior, além de jamais ter entrado em um consultório de quiroprática, ainda estava condicionado pela comunidade alopata e considerava essas coisas como charlatanismo. Mas quando se está com muita dor e longe de casa, acaba-se experimentando coisas que jamais imaginou.

Então, no dormitório-consultório do colega de meu aluno, tive o primeiro contato com a cinesiologia, popularmente conhecida como teste muscular. O quiroprático me pediu para manter o braço esticado para frente enquanto ele tentava forçá-lo para baixo. Não foi difícil, já que ele não fez muita força. Pediu então que eu continuasse com ele esticado mas que dissesse a frase "meu nome é Bruce" enquanto ele fazia força para empurrá-lo para baixo. Comecei a pensar que meus colegas estavam certos. Aquilo não fazia o menor sentido. A seguir, ele pediu que eu continuasse com o braço estendido e resistisse à tentativa dele de empurrá-lo, mas que dissesse a frase "meu nome é Mary". Para minha surpresa, meu braço abaixou quando ele o empurrou, embora não estivesse usando tanta força. "Espere um pouco", eu disse. "Acho que não fiz muita força para mantê-lo esticado. Tente de novo". Concentrei-me mais e estiquei o braço, mas quando disse "meu nome é Mary", ele conseguiu empurrá-lo para baixo com toda facilidade. Então aquele aluno, que agora era "meu professor", explicou que quando nossa mente consciente tem uma crença que entra em conflito com as "verdades" armazenadas em nosso subconsciente, o resultado é o enfraquecimento dos músculos do corpo.

Para minha total surpresa, percebi que minha mente consciente, tão exercitada e confiante após todos aqueles anos de vida acadêmica, havia perdido o controle diante de uma simples frase que contrariava uma informação do meu subconsciente. Bastou dizer que meu nome era Mary e minha mente inconsciente minou todas as forças de meu braço. Fiquei muito surpreso ao descobrir que havia outra "mente", uma outra força co-pilotando minha vida. Mais desconcertante ainda era perceber que essa mente oculta da qual eu conhecia tão pouco (tinha noções muito básicas de psicologia)

era mais poderosa que minha mente consciente, exatamente como Freud descrevia. Aquela simples visita a um quiroprático acabou modificando minha vida. Localizando problemas em minha espinha dorsal por meio da cinesiologia aquele aluno conseguia acessar o poder inato de cura de meu corpo. Saí daquele quarto me sentindo um novo homem após alguns simples ajustes em minha coluna... sem ingerir nenhum tipo de medicamento. E o mais importante: fui apresentado a um "novo personagem": minha mente subconsciente!

Saí do *campus* naquele dia fascinado com a descoberta. Lembrei-me de alguns conceitos da física quântica, de que os pensamentos podem estimular comportamentos com mais eficiência que as moléculas físicas. Meu subconsciente "sabia" que meu nome não era Mary e por isso transmitiu um sinal para que eu não insistisse. O que mais essa mente inconsciente "sabia" e como aprendeu tanto?

Para entender melhor o processo e o que havia acontecido naquele consultório, recorri a um conceito da neuroanatomia comparativa, segundo a qual quanto mais baixo está um organismo na cadeia evolutiva, menos desenvolvido é seu sistema nervoso e mais ele depende de comportamentos pré-programados (natureza). As traças voam em direção à luz, as tartarugas marinhas retornam às mesmas ilhas para pôr seus ovos na praia na mesma época do ano e alguns pássaros voam quilômetros até chegar a alguns locais para reprodução. Mas até onde sabemos, nenhum desses animais têm consciência do que os leva a fazer isso. São comportamentos inatos, geneticamente incutidos no organismo e classificados como instintos.

Os organismos mais altos na cadeia têm sistema nervoso mais complexamente integrado e comandado por cérebros maiores, que lhes permitem seguir padrões diferentes de comportamento por meio

de experiência e aprendizado. A complexidade desse mecanismo de aprendizagem ambiental é presumidamente maior nos seres humanos, que estão no topo ou mais próximo do topo da cadeia de evolução. Segundo os antropólogos Emily A. Shcultz e Rober H. Lavenda, "os seres humanos dependem mais do aprendizado para sobreviver do que as outras espécies. Não temos instintos que nos protejam automaticamente e nos levem a encontrar comida e abrigo, por exemplo" (Schultz e Lavenda, 1987).

Claro, possuímos alguns instintos comportamentais inatos durante a infância como o de sugar durante a amamentação, nos afastar do fogo e nadar se jogados na água. Os instintos se baseiam em comportamentos fundamentais para a sobrevivência dos seres humanos independentemente da cultura a que pertençam ou da época da história em que nasceram. Temos uma habilidade inata para nadar. Crianças nadam como golfinhos quando nascem, mas depois adquirem medo da água por influência dos pais. Observe o que acontece quando uma criança se aproxima de uma piscina. Ela aprende com os pais que a água é perigosa, porém, depois é matriculada em um curso de natação para perder o medo que eles mesmos lhe incutiram.

Ao longo da evolução, nossas percepções adquiridas vêm se tornando cada vez mais fortes, especialmente porque podem se sobrepor a instintos geneticamente programados. Os mecanismos fisiológicos do corpo (batimentos cardíacos, pressão sanguínea, fluxo de sangue, padrões de sangramento e temperatura do corpo) são, por natureza, instintos programados. No entanto, iogues e pessoas que usam *biofeedback*[4] *aprendem* a regular conscientemente essas funções "inatas".

---

4. Método de tratamento de fobias e de depressão por meio do controle de processos físicos diversos com aparelhagem eletrônica. (N.T.)

Os cientistas acreditam que, devido ao tamanho de nosso cérebro, temos habilidade de aprender esses comportamentos complexos. Mas creio que deveriam refrear um pouco seu entusiasmo em relação a essa teoria, já que os cetáceos como os golfinhos, por exemplo, têm uma área cerebral bem maior dentro de seu crânio.

As descobertas do neurologista britânico doutor John Lorber, publicadas em um artigo na *Science* em 1980, *Is your brain really necessary?* [Será que o cérebro é mesmo necessário?], questionam a noção de que o tamanho do cérebro é o fator mais importante para a inteligência humana (Lewin, 1980). Lorber estudou diversos casos de hidrocéfalia (acúmulo de água no cérebro) e concluiu que, mesmo quando parte do córtex cerebral (a camada externa do cérebro) é inexistente, os pacientes conseguem viver normalmente. O redator da *Science*, Roger Lewin, cita Lorber em seu artigo:

> "Um dos alunos que estuda nesta universidade (Sheffield University) tem um QI de 126, ganhou prêmios como melhor aluno de matemática e tem uma vida social normal. Mas não tem cérebro, literalmente falando... Quando foi submetido a um exame, verificamos que em vez de um cérebro normal de espessura de 4,5 centímetros entre os ventrículos e a superfície cortical, havia apenas uma fina camada de tecido de pouco mais de um milímetro de espessura. Seu crânio é preenchido apenas com fluido cerebrospinal."

As descobertas de Lorber sugerem que devemos reconsiderar nossas crenças sobre o funcionamento do cérebro e sobre os fundamentos físicos da inteligência humana. No Epílogo deste livro menciono que a inteligência humana só será totalmente compreendida quando aceitarmos os conceitos de espírito ("energia") ou aquilo a que os psicólogos mais atualizados chamam de mente "superconsciente". Mas, no momento, gostaria de me ater aos conceitos de mente consciente e subconsciente que sempre provocaram reações entre psicólogos e psiquiatras. O que quero mostrar é a base biológica da paternidade consciente e os métodos de cura psicológica baseados em energia.

PROGRAMAÇÃO HUMANA: QUANDO OS BONS E VELHOS MECANISMOS COMEÇAM A FALHAR

Voltemos ao conceito de desafio evolucionário dos seres humanos, que têm de aprender tudo rápido para sobreviver e se tornar parte da comunidade social. A evolução nos presenteou com a habilidade de absorver um número inimaginável de comportamentos e crenças em nosso sistema de memória. Pesquisas recentes sugerem que a chave para a compreensão desse mecanismo é a atividade elétrica flutuante do cérebro, que pode ser medida por um eletroencefalograma (EEG). A definição literal de eletroencefalograma é "figuras elétricas da cabeça". Essas figuras cada vez mais sofisticadas revelam com detalhes a atividade cerebral nos seres humanos. Tanto adultos quanto crianças apresentam EEG com variação entre ondas de freqüência mais baixa, chamadas *delta*, às mais altas, chamadas *beta*. No entanto, os pesquisadores observaram que a atividade EEG em crianças revela, em todos os estágios de desenvolvimento, a predominância de um tipo específico de onda cerebral.

O doutor Rima Laibow descreve em *Quantitative EEG and neurofeedback* [EEG quantitativo e *neurofeedback*] o progresso desses estágios de desenvolvimento na atividade cerebral (Laibow, 1999 e 2002). Entre o nascimento e os dois anos de idade, o cérebro humano

opera predominantemente na freqüência de EEG mais baixa, ou seja, entre 0,5 e 4 ciclos por segundo (Hz), a faixa conhecida como ondas *delta*. Embora essa seja sua faixa predominante, os bebês ocasionalmente apresentam momentos de atividade cerebral mais alta. Crianças começam a entrar em níveis de atividade EEG mais altos como o chamado *teta* (4-8 Hz) com mais freqüência e durante períodos mais longos entre os dois e os seis anos de idade. Os hipnoterapeutas conseguem fazer com que a atividade cerebral de seus pacientes atinja *delta* e *teta* porque essas faixas de baixa freqüência permitem que eles entrem em um estado mental mais sugestionável e programável.

Isso nos ajuda a entender como as crianças, cujo cérebro opera na mesma faixa de freqüência entre o nascimento e os seis anos de idade, pode armazenar o volume fantástico de informações que precisam para se adaptar e sobreviver ao ambiente. A habilidade de processar uma vasta quantidade de informações demonstra haver uma adaptação neurológica importante para facilitar esse intenso processo de enculturamento. O ambiente humano e a convivência social exigem e causam mudanças tão rápidas que não adiantaria transmitir comportamentos culturais por meio de instintos geneticamente programados. As crianças pequenas observam o ambiente e absorvem a sabedoria do mundo, fornecida por seus pais, diretamente em seu sistema de memória subconsciente. Como resultado, passam a ter os mesmos comportamentos e crenças deles.

Os pesquisadores do Instituto de Pesquisas de Primatas [*Primate Research Institute*] da Universidade de Kyoto descobriram que os bebês chimpanzés também aprendem ao observar a mãe. Os pesquisadores ensinaram uma mãe chimpanzé a identificar letras japonesas de cores diferentes. Quando a letra de uma cor específica era mostrada

em uma tela de computador, a chimpanzé aprendeu a escolhê-la entre uma gama de cores. Quando escolhia a cor certa, recebia uma moeda que introduzia em uma máquina e ganhava uma fruta. Ao longo de todo o processo de treinamento seu bebê permanecia perto dela. Para a surpresa dos pesquisadores um dia, enquanto a mãe estava tirando a fruta da máquina com a moeda, o filhote foi até o computador. Quando as letras coloridas surgiram na tela, ele escolheu o item correto, recebeu a moeda e foi até a máquina para pegar uma fruta. Isso os levou a concluir que as crianças podem absorver as habilidades mais complexas apenas por meio da observação, sem necessidade de serem ensinadas diretamente pelos pais (*Science*, 2001).

Em nós, humanos, os comportamentos básicos, crenças e atitudes dos pais também são "incorporados" às redes sinápticas de nossa mente subconsciente e, uma vez que passam a fazer parte de nós, controlam nossa biologia pelo resto da vida... a menos que encontremos uma maneira de reprogramá-los. Se você duvida da sofisticação desse sistema, tente se lembrar da primeira vez que seu filho disse um palavrão. Provavelmente você percebeu que a pronúncia, a entonação e até o contexto eram exatamente iguais aos seus quando xinga.

Com um sistema tão preciso, imagine as conseqüências para uma criança que ouve dos pais frases do tipo: "Criança idiota", "você não merece ganhar as coisas", "não serve para nada", "não devia ter nascido" ou "é um fraco". Quando pais descuidados ou que não gostam dos filhos transmitem a eles esse tipo de mensagem, nem sempre têm consciência de que as informações são armazenadas na mente subconsciente das crianças como "fatos reais", da mesma maneira que os dados em um computador. Durante a primeira fase de desenvolvimento, a consciência da criança ainda

não se desenvolveu o suficiente para filtrar ou identificar essas afirmações como algo que os pais disseram em um momento de raiva e que não são necessariamente características do seu "eu". Mas uma vez dentro da mente subconsciente elas passam a ser "verdades" que, inconscientemente, moldam o comportamento e o potencial da criança ao longo de toda a sua vida.

À medida que crescemos, nos tornamos menos suscetíveis à programação externa, pois atingimos a freqüência cerebral *alfa* (8-12 Hz). A atividade *alfa* é mantida no período de consciência tranqüila. Enquanto a maior parte de nossos sentidos como a visão, a audição e o olfato captam o mundo externo, a consciência é um "órgão sensor" e se comporta como um espelho, refletindo o trabalho da comunidade celular do corpo. É a chamada consciência do "eu".

Quando a criança atinge os 12 anos de idade, seu EEG começa a mostrar períodos mais longos de uma freqüência ainda mais alta chamada ondas *beta* (12-35 Hz). O estado *beta* do cérebro se caracteriza pela "consciência ativa ou concentrada", a mesma que você está utilizando ao ler este livro. Recentemente, foi descoberto um quinto estado de EEG, ainda mais alto, chamado de ondas *gama* (acima de 35 Hz). Essa freqüência é a predominante em momentos de "alto desempenho", como o dos pilotos no momento em que estão pousando um avião ou um tenista quando está fazendo uma jogada que pode definir a partida.

Quando a criança passa para a adolescência, sua mente subconsciente está saturada de informações como o seu modo de andar, a "consciência" de que jamais será alguém na vida ou a noção de que pode obter tudo o que almejar. Depende do incentivo ou do tratamento que recebeu dos pais até aquele momento. O conjunto de instintos

geneticamente programados e das crenças que adquirimos de nossos pais formam a mente subconsciente, que pode tanto nos impedir de manter o braço esticado em um consultório de quiroprática quanto sabotar todas as promessas que fazemos no Ano-Novo, de que iremos parar de comer demais, usar drogas e medicamentos etc.

Volto então à questão das células, que podem nos ensinar muito sobre nós mesmos. Já disse muitas vezes que cada uma delas tem inteligência própria. Mas quando se agrupam para criar comunidades multicelulares, passam a seguir a "voz coletiva" do organismo mesmo que ela implique comportamentos autodestrutivos. Nossa fisiologia e padrões de comportamento se desenvolvem de acordo com as "verdades" dessa voz central e todas as suas crenças, sejam elas construtivas ou destrutivas.

Já mencionei o poder da mente subconsciente, mas quero enfatizar que não há necessidade de a considerarmos uma fonte assustadora, poderosa e freudiana de "conhecimento" destrutivo. Na verdade, o subconsciente é um grande centro de dados e programas desprovido de emoção, cuja função é simplesmente ler os sinais do ambiente e seguir uma programação estabelecida sem nenhum tipo de questionamento ou julgamento prévio. A mente subconsciente é como um "disco rígido" que armazena nossas experiências de vida. Os programas são basicamente comportamentos de estímulo-reação. Os estímulos que ativam o comportamento podem ser sinais que o sistema nervoso detecta do mundo externo e/ou de dentro do próprio corpo, como emoções, prazer e dor. Quando um estímulo é captado, gera automaticamente a mesma reação comportamental que foi aprendida na primeira vez em que foi detectado. Na verdade, as pessoas que percebem e passam a observar este tipo de resposta

automática admitem que muitas vezes os "botões em seu organismo são involuntariamente pressionados".

Antes da evolução da mente consciente, as funções dos cérebros animais eram diretamente ligadas à mente subconsciente. Estas mentes primitivas eram mecanismos simples de estímulo-reação que respondiam automaticamente ao ambiente por intermédio de ações geneticamente programadas (instintos) ou de comportamentos adquiridos. Esses animais não acionavam esses comandos "conscientemente". Eram atos reflexos e incondicionais, como o piscar dos olhos em um ambiente empoeirado ou o reflexo de chutar com a perna quando um médico bate em nossa junta, no joelho.

A MENTE CONSCIENTE: O CRIADOR DENTRO DE NÓS

A evolução dos mamíferos mais desenvolvidos, incluindo os chimpanzés, os cetáceos e os humanos, criou um novo nível de consciência chamado "autoconsciência" ou mente consciente. Foi um passo muito importante em termos de desenvolvimento. A mente anterior, predominantemente subconsciente, é nosso "piloto automático"; já a mente consciente é nosso controle manual. Por exemplo: se uma bola é jogada em direção ao seu rosto, a mente consciente, mais lenta, pode não reagir em tempo de evitar a ameaça. Mas a mente inconsciente, capaz de processar cerca de 20 milhões de estímulos ambientais por segundo *versus* 40 estímulos interpretados pela mente consciente no mesmo segundo, nos fará piscar e nos desviar (Norretranders, 1998) (veja a ilustração seguinte). A mente subconsciente, um dos processadores de informações mais poderosos de que se tem notícia até hoje, observa o mundo ao

nosso redor e a consciência interna do corpo, interpreta os estímulos do ambiente e entra imediatamente em um processo de comportamento previamente adquirido (aprendido). Tudo isso sem ajuda ou supervisão da mente consciente.

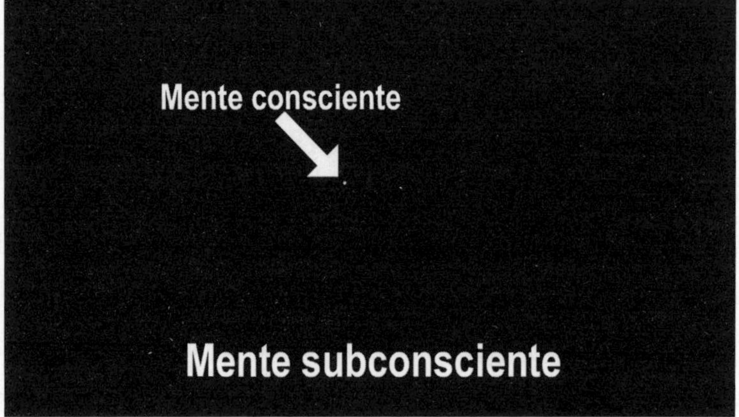

A visualização da capacidade de processamento de informações das mentes consciente e subconsciente. A ilustração acima, de Machu Picchu, tem 20 milhões de pixels e cada um representa um bit (unidade) das informações recebidas pelo sistema nervoso em um segundo. Mas quanto dessa informação chega à nossa mente consciente? Na ilustração de baixo, o ponto representa a quantidade que a mente consciente processa no mesmo período (na verdade, o ponto é dez vezes maior do que realmente é processado por nossa mente consciente. Tive de aumentá-lo para permitir sua visualização). Já a mente subconsciente é capaz de processar toda a informação que recebemos (a área em preto) durante o mesmo segundo.

As duas mentes formam uma dupla dinâmica. Ao operar em conjunto, a mente consciente pode utilizar seus recursos para se concentrar em um objeto específico, como a festa na próxima sexta-feira, por exemplo. Ao mesmo tempo, a mente subconsciente mantém seus movimentos enquanto você corta a grama sem que a distração o faça passar o cortador em seu pé ou no gato deitado no jardim. Conscientemente você não está necessariamente prestando atenção ao que está fazendo.

As duas mentes também trabalham em conjunto para adquirir comportamentos mais complexos que mais tarde serão desenvolvidos inconscientemente. Você se lembra de seu primeiro dia de aula de direção, quando se sentou no banco do motorista? Parecia haver comandos demais para operar ao mesmo tempo: você tinha de manter os olhos na estrada ou na rua, observar o espelho retrovisor e os laterais, prestar atenção à velocidade e às luzes indicadoras no painel, usar os dois pés em três pedais e se manter calmo no trânsito. A impressão era de que levaria uma eternidade até todos aqueles comportamentos serem "programados" em sua mente.

Hoje você entra no carro, liga o motor e pensa em sua lista de compras no supermercado, enquanto a mente subconsciente desempenha todas as manobras complexas que lhe permitem rodar pela cidade. Você não precisa se preocupar, ainda que por um segundo, com o ato de dirigir. É um processo que acontece com todos os motoristas. Você pode dirigir e, ao mesmo tempo, ter uma conversa agradável com o passageiro ao seu lado. Sua mente consciente fica tão ocupada com a conversa que somente depois de uns cinco minutos você percebe que nem prestou atenção ao que está fazendo. Sabe que está no lado certo da pista e que está seguindo o tráfego normalmente. Se olhar pelo retrovisor, verá que não atropelou os pedestres nem destruiu os postes no caminho. Mas se não era você que estava conscientemente dirigindo até aquele instante, quem era então? A mente subconsciente! E será que se saiu tão bem? Embora você não tenha prestado atenção ao seu comportamento ao longo de todo aquele trecho da viagem, sua mente subconsciente aparentemente desempenhou bem a tarefa de dirigir, exatamente como foi ensinada na auto-escola.

Além de facilitar os programas habituais subconscientes, a mente consciente é espontaneamente criativa em suas reações aos estímulos ambientais. Por ter habilidade de auto-reflexão, a mente consciente pode observar o comportamento no momento em que ele é colocado em prática. À medida que um comportamento pré-programado entra em ação, ela pode intervir, interrompê-lo e criar uma nova resposta para aquele estímulo. Isso nos dá o livre-arbítrio e mostra que não somos meras vítimas de nossa programação. No entanto, para modificar esses padrões estabelecidos temos de estar totalmente conscientes para que a programação não se sobreponha à nossa vontade, uma tarefa bastante difícil. Qualquer um sabe o que é lutar contra os hábitos. A programação subconsciente assume o controle toda vez que a mente consciente se distrai.

A mente consciente também pode avançar e retroceder no tempo ao passo que a mente subconsciente opera apenas no momento presente. Enquanto a mente consciente sonha, fazendo planos para o futuro ou relembrando experiências passadas, a mente subconsciente está sempre ocupada administrando com eficiência o comportamento exigido no momento, sem a necessidade de supervisão consciente.

As duas mentes formam um mecanismo fenomenal, porém, algo sempre pode dar errado. A mente consciente é o "eu", a voz de nossos pensamentos. Pode ter grandes visões e fazer planos para o futuro cheios de amor, saúde, felicidade e prosperidade. Contudo, enquanto estamos mergulhados nesses pensamentos, quem está por trás dos bastidores? O subconsciente. E como ele trata nossos sentimentos e preocupações? Exatamente como foi programado para fazer. No tempo em que estamos distraídos com nossos pensamentos, a mente subconsciente pode colocar em ação comportamentos diferentes daqueles que nós mesmos criamos, pois a maioria do que temos armazenado em nossa memória foi "copiada" quando observávamos as outras pessoas durante a infância. E como não fizemos isso conscientemente, muitas vezes nos surpreendemos se alguém nos diz que agimos "exatamente como nossa mãe ou nosso pai", que ajudaram a programar nossa mente subconsciente.

Os comportamentos e crenças que aprendemos de nossos pais, colegas e professores podem não ser os mesmos que imaginamos para a nossa vida usando a mente consciente. Os maiores obstáculos para alcançarmos o sucesso a que almejamos são as limitações programadas em nosso subconsciente. Essas limitações não só influenciam nosso comportamento mas também determinam nossa fisiologia e saúde. Como já mencionei, a mente tem um papel muito importante no controle dos sistemas biológicos que nos mantêm vivos.

A intenção da natureza não foi criar uma mente dupla que acabasse se transformando em um calcanhar de Aquiles. Na verdade, essa dualidade pode ser uma grande vantagem. Pense no seguinte: o que aconteceria se tivéssemos pais e professores totalmente conscientes de que servem de modelos perfeitos de vida, sempre envolvidos em relações humanitárias e não competitivas com todos na comunidade? Se nossa mente subconsciente fosse programada para esses comportamentos saudáveis, poderíamos ter uma vida maravilhosa e de grande sucesso sem ao menos precisar ter consciência disso!

A MENTE SUBCONSCIENTE: ESTOU CHAMANDO MAS NINGUÉM RESPONDE

Enquanto a natureza "imaginativa" da mente consciente evoca imagens de um "fantasma na máquina", a mente subconsciente não dispõe desse recurso. Ela funciona mais ou menos como um *juke-box*[5] carregado com programas de comportamento prontos para serem utilizados toda vez que um sinal do ambiente pressiona a tecla correta. Se não gostamos de determinada música, adianta reclamar da máquina? Em minha época de faculdade, cheguei a ver muitos alunos embriagados reclamar e chutar *juke-boxes* nos bares porque não estavam contentes com a programação musical. Da mesma maneira, devemos nos conscientizar de que não adianta gritar ou reclamar quando a mente consciente não consegue mudar nossos padrões programados de comportamento. Quando nos convencemos de que táticas desse tipo não funcionam, deixamos de lutar com a mente subconsciente e procuramos técnicas mais científicas para reprogramá-la. Do contrário, estaremos apenas chutando a máquina na esperança de que ela mude a programação.

No entanto, não é fácil aceitar que não podemos guerrear contra nosso subconsciente, pois um dos conceitos que a maioria de nós

---

5. Caixa com um repertório variado de música que o usuário programa para tocar uma música mediante a colocação de uma moeda. (N.E.)

adquiriu na infância é de que "o poder da vontade é maior que tudo". Por isso lutamos tanto contra nossa programação subconsciente, mas as células são obrigadas a seguir as ordens dessa programação.

Essa guerra entre o livre-arbítrio consciente e o programa subconsciente pode resultar em sérios problemas neurológicos. Para mim, um bom motivo para não entrarmos nesse tipo de batalha é aquele mostrado no filme *Shine*, baseado em uma história real. O pianista australiano David Helfgott desafia seu pai ao decidir ir para Londres estudar música. O pai, um sobrevivente do Holocausto, programou a mente subconsciente de seu filho com a crença de que o mundo é perigoso e que enfrentá-lo poderia ameaçar sua vida. Insistiu que o filho só estaria seguro se permanecesse próximo de sua família. Apesar de toda a programação do pai, Helfgott tinha certeza de que era um grande pianista e que tinha de se libertar da família para realizar seu sonho.

Em Londres, tocou uma peça muito difícil, "O Terceiro Concerto de Rachmaninoff", em uma competição. O filme mostra o conflito entre a mente consciente do rapaz, tentando obter sucesso, e sua mente subconsciente, dizendo-lhe que estar visível e ser internacionalmente reconhecido poderia trazer riscos à sua vida. Durante o concerto, enquanto Helfgott sua em bicas e toca desesperadamente o piano, sua mente consciente luta para manter o controle, porém, seu subconsciente, com medo de que ele vença a competição, tenta assumir o controle do corpo. Ele se mantém firme até a última nota, mas desmaia logo depois, exaurido pela batalha. Quando volta a si, paga um alto preço por sua "vitória": a insanidade mental.

A maioria de nós vive em constante luta com a mente subconsciente, tentando modificar a programação recebida na infância.

Basta pensar nas inúmeras tentativas fracassadas de conseguir um bom emprego ou no tempo que permanecemos trabalhando e vivendo em lugares que detestamos simplesmente porque não "merecemos coisa melhor".

Alguns métodos para suprimir os comportamentos destrutivos são drogas e terapia. Mas já existem novos procedimentos que podem mudar nossa programação sem a necessidade de "luta" com os registros subconscientes. São técnicas baseadas nas descobertas da física quântica que reúnem energia e pensamento. Na verdade, trata-se de modalidades de tratamento que podem ser chamadas de psicologia da energia, um ramo novo da nova biologia.

Não seria muito mais fácil se fôssemos programados desde o início para utilizar plenamente nosso potencial genético e criativo? Não seria muito melhor nos tornarmos pais e mães conscientes e permitir aos nossos filhos fazer o mesmo? Assim, a reprogramação não seria necessária e poderíamos fazer deste planeta um lugar muito mais feliz e pacífico!

DESDE O PRINCÍPIO: CONCEPÇÃO E GRAVIDEZ CONSCIENTES

Todos já ouvimos a expressão: "Quando você era bem pequenino e ainda estava na barriga da mamãe". A frase mostra a felicidade de pais que realmente desejavam ter um filho e também resume as pesquisas genéticas mais recentes, que mostram que os pais devem se preparar meses antes de conceber um filho. A consciência e a intenção podem produzir um bebê mais inteligente, saudável e feliz.

As pesquisas revelam que os pais agem como engenheiros genéticos dos filhos bem antes da concepção. Nos estágios finais de maturação do óvulo e do espermatozóide, um processo chamado impressão genômica regula a atividade dos grupos específicos de genes que irão moldar a personalidade da criança que será concebida (Surani, 2001; Reik e Walter, 2001). Estudos sugerem que tudo o que se passa na vida dos pais durante o processo de impressão genômica tem influência profunda sobre a mente e o corpo da criança, o que mostra que a maioria dos casais não está mesmo preparada para ter um filho. Verny declara em *Pre-parenting: nurturing your child from conception* [Pré-paternidade: como educar o seu filho desde a concepção]: "Faz toda a diferença sermos concebidos com amor, com pressa ou com ódio e se nossa mãe realmente queria engravidar... os melhores pais são aqueles que vivem em um ambiente calmo e estável, sem vícios e têm um bom relacionamento com a família e os amigos" (Verny e Weintraub, 2002). É interessante observar que as culturas aborígenes reconhecem há milênios a influência do ambiente no momento da concepção. Antes de ter um filho os casais passam por cerimônias para purificar a mente e o corpo.

Hoje, uma série de pesquisas documentam a importância das atitudes dos pais no desenvolvimento da criança desde o útero. Verny também escreveu sobre isso: "As diversas evidências científicas que surgiram na última década nos levam a reavaliar as habilidades mentais e emocionais das crianças antes do nascimento. Os estudos mostram que, acordadas ou dormindo, elas (as crianças) estão constantemente sintonizadas com as ações, os pensamentos e os sentimentos da mãe. Desde o instante da concepção, a experiência no útero molda o cérebro, estabelece o tipo de personalidade, temperamento e capacidade de pensar do indivíduo".

Mas quero enfatizar que a nova biologia não é um retorno ao passado, quando se culpava as mães por todos os problemas infantis que a medicina ainda não compreendia, como esquizofrenia ou autismo. Mães e pais estão juntos no momento da concepção e durante a gravidez mesmo que apenas a mulher esteja carregando a criança. Tudo o que o pai faz afeta profundamente a mãe que, por sua vez, afeta o desenvolvimento do filho. Por exemplo: se o pai abandona a mãe e ela fica com medo de não ter meios para sobreviver, isso afeta profundamente a interação entre a ela e o bebê. Da mesma maneira fatores sociais como falta de emprego, de moradia, problemas de saúde ou as intermináveis guerras que obrigam os pais a se ausentar e servir ao Exército podem afetar os pais e, conseqüentemente, o desenvolvimento do filho.

A base da paternidade consciente é que tanto mães quanto pais têm as mesmas responsabilidades em termos de saúde, inteligência e de felicidade dos filhos. Claro, não podemos culpar a nós mesmos ou a nossos pais pelos problemas em nossa vida nem na vida de nossos filhos. A ciência se concentrou tanto no conceito de determinismo genético que hoje não temos consciência da influência das crenças em nossas vidas. E o mais importante: de como nosso comportamento e atitudes programam a vida de nossos descendentes.

A maioria dos obstetras ainda desconhece a importância desses fatores no desenvolvimento de um bebê. Aprendem na faculdade que o desenvolvimento fetal é mecanicamente controlado pelos genes, sem maiores contribuições por parte da mãe. Por isso, preocupam-se apenas com alguns aspectos básicos: ela se alimenta bem?

Toma vitaminas? Faz exercícios com freqüência? O único aspecto levado em consideração é a provisão de nutrientes para o feto geneticamente programado que vai nascer.

A criança em desenvolvimento precisa, porém, de muito mais que os nutrientes do sangue da mãe. Se ela é diabética, por exemplo, seu filho acaba absorvendo excesso de glicose; se sofre de estresse crônico, pode transmitir a ele excesso de cortisol e de hormônios de alerta (fuga ou luta). Há muitas pesquisas sendo realizadas hoje sobre o assunto. Se a mãe está sob muita tensão, seu eixo HPA é ativado, o que faz com que o bebê se sinta em um ambiente ameaçador.

Os hormônios de estresse ativam reações de proteção. Quando entram na corrente sanguínea fetal, afetam os mesmos órgãos e tecidos que afetaram na mãe. Em ambientes de estresse, o sangue do feto se concentra mais nos músculos e na parte posterior do cérebro para atender às necessidades nutricionais dos braços e pernas e da região do cérebro responsável pelos reflexos de defesa, ativados quando a vida está em risco. Para manter a função desses sistemas de proteção, o sangue é retirado de órgãos viscerais e os hormônios inibem as funções cerebrais. O desenvolvimento dos tecidos e órgãos fetais é proporcional à quantidade de sangue que recebem e das funções que desempenham. Ao passar pela placenta, os hormônios de uma mãe que sofre de estresse crônico alteram profundamente a distribuição do fluxo de sangue no feto e modificam as características de desenvolvimento de sua fisiologia (Lesage *et al.*, 2001; Christensen, 2000; Arnsten, 1998; Leutwyler, 1998; Sapolsky, 1997; Sandman *et al.*, 1994).

Na Universidade de Melbourne, E. Marilyn Wintour desenvolveu uma pesquisa sobre fêmeas de carneiro grávidas, que são fisiologicamente semelhantes a humanos, e descobriu que a exposição pré-natal ao cortisol pode elevar a pressão sanguínea (Dodic *et al.*, 2002). Os níveis de cortisol no feto desempenham um papel importante ao regular o desenvolvimento dos mecanismos de filtragem dos rins, chamados nefros. As células dos nefros estão envolvidas no processo de equilíbrio dos níveis de sal no corpo e, portanto, são importantes para o controle da pressão sanguínea. O excesso de cortisol absorvido de uma mãe sob estresse altera o desenvolvimento dos nefros do feto. Outro efeito do excesso de cortisol é que ele faz com que tanto a mãe quanto o feto passem de um estado de crescimento para um estado de proteção. Como resultado, o feto nasce menor.

Condições negativas no útero que levam ao nascimento de bebês com peso abaixo do normal estão associadas a diversas doenças descritas por Nathanielsz em seu livro *Life in the womb* [A vida no útero], (Nathanielsz, 1999), entre elas a diabetes, problemas de coração e obesidade. Por exemplo, o doutor David Barker (*ibid.*), da Universidade de Southampton, na Inglaterra, descobriu que meninos que nascem com menos de 2,5 quilogramas têm 50% mais probabilidade de morrer devido a problemas cardíacos do que os outros, que nascem com peso normal. Pesquisadores de Harvard descobriram que meninas que pesam menos de 2,5 quilogramas correm 23% mais risco de terem doenças cardiovasculares que as outras. David Leon (*ibid.*), da Escola de higiene e medicina tropical de Londres [*London school of hygiene and tropical medicine*], descobriu que a diabetes é três vezes mais comum em homens com mais de 60 anos que nasceram com tamanho e peso abaixo do normal.

Esse novo foco da influência do ambiente pré-natal também abrange o estudo do QI, que os deterministas genéticos e raciais

associavam apenas aos genes. Mas em 1977, Berne Devlin, professor de psiquiatria da Escola de Medicina da Universidade de Pittsburgh, analisou 212 estudos que comparavam o QI de gêmeos, irmãos e seus pais. Concluiu que os genes são responsáveis por apenas 48 por cento dos fatores de desenvolvimento do QI e, quando se soma a isso os efeitos da união dos genes maternos e paternos, os componentes de inteligência herdados diminuem ainda mais, chegando a uma média de 35 por cento (Devlin *et al.*, 1997; McGue, 1997).

Já Devlin descobriu que as condições ao longo do desenvolvimento pré-natal podem afetar o QI de maneira significativa. Ele revela que uma média de 50 por cento da inteligência potencial de uma criança é controlada por fatores ambientais. Estudos anteriores também mostravam que o consumo de álcool ou de nicotina durante a gravidez pode causar a diminuição do QI da criança, assim como a exposição ao chumbo. A lição para quem deseja ter um filho é que as atitudes dos pais no período da gravidez podem reduzir drasticamente a inteligência da criança. E não se trata de acidentes, mas de alterações no fluxo de sangue de um cérebro submetido a estresse.

Em minhas palestras sobre paternidade consciente, eu cito pesquisas e mostro um vídeo de uma organização italiana, a *Associazione Nazionale di Educazione Prenatale* [Associação Nacional de Educação Pré-Natal], que ilustra o relacionamento interdependente entre os pais e seus filhos ainda não nascidos. No vídeo, uma mãe e um pai estão tendo uma discussão enquanto ela é submetida a um sonograma. Pode-se ver nitidamente que o feto salta dentro do útero quando a discussão se inicia, contorce o corpo como se estivesse para saltar de um trampolim no momento em que a discussão se torna mais agressiva e também quando alguém quebra um copo.

O poder da tecnologia moderna, por meio de um sonograma, ajuda a desbancar o mito de que crianças ainda não nascidas não são organismos sofisticados o suficiente para reagir a qualquer coisa que não seja seu ambiente nutricional.

O PROGRAMA AVANÇADO DA NATUREZA

Você pode estar se perguntando por que a evolução criou para os fetos um sistema tão frágil e que depende tanto do ambiente dos pais. Na verdade, trata-se de um sistema engenhoso que ajuda a garantir a sobrevivência da prole. A criança vai viver no mesmo ambiente que os pais depois que nascer. Por isso, as informações adquiridas por intermédio da percepção dos pais atravessam a placenta e ajudam a formar a fisiologia do feto, preparando-o para as exigências que irá enfrentar após o nascimento. A natureza está simplesmente fornecendo à criança ferramentas para que possa sobreviver no ambiente que a espera. Portanto, hoje os pais têm uma escolha. Podem reprogramar suas crenças limitadas sobre a vida antes de trazer uma criança ao mundo.

A importância da programação dos pais faz cair por terra a teoria de que nossas características, tanto positivas quanto negativas, são determinadas apenas por nossos genes. Como já vimos, os genes são formados, guiados e moldados pelas experiências aprendidas com o ambiente. Fomos levados a acreditar que habilidades artísticas, atléticas e intelectuais são traços geneticamente transmitidos. Porém, não importa se os genes são "bons". Se um indivíduo sofreu maus-tratos ou sempre se sentiu incompreendido, o potencial de seus genes pode ter sido anulado. Liza Minelli recebeu os genes da

modelo e super-estrela Judy Garland e do diretor cinematográfico Vincent Minelli. Sua carreira brilhante e os altos e baixos de sua vida pessoal foram *scripts* incutidos em seu subconsciente pelos pais. Se Liza tivesse os mesmo genes, mas fosse criada por uma família de fazendeiros holandeses do interior da Pensilvânia, por exemplo, o ambiente teria gerado uma seleção genética diferente para sua vida. Os genes que lhe permitiram ter uma carreira artística de sucesso provavelmente teriam sido mascarados ou inibidos pelas exigências culturais da comunidade agrária.

Um grande exemplo da eficácia da paternidade consciente é o jogador de golfe e campeão Tiger Woods. Embora seu pai não tenha sido um jogador tão talentoso, esforçou-se para que o filho tivesse a oportunidade de ingressar em um ambiente rico e com potencial para desenvolver suas habilidades, atitudes e se tornar um jogador de alto desempenho. Claro, o sucesso de Tiger também está relacionado à filosofia budista, à qual sua mãe pertencia. Os genes são importantes, mas somente se forem desenvolvidos sob a influência de uma paternidade consciente e de uma gama mais vasta de oportunidades oferecidas pelo ambiente.

PATERNIDADE E MATERNIDADE CONSCIENTES

Eu costumava terminar minhas palestras para o público lembrando a todos que somos responsáveis por tudo em nossa vida. Nem todos gostavam de ouvir aquilo. Parecia uma carga pesada demais para algumas pessoas. Um dia, quando havia terminado uma palestra, uma senhora ficou tão irritada com minhas palavras finais que foi com o marido até os bastidores onde me encontrava para, em lágrimas, protestar. Recusava-se a fazer parte de algumas tragédias em sua vida. Usou de todos os argumentos possíveis para me convencer a mudar o final de minha palestra. Tive de reconhecer que, com minhas palavras, podia estar fazendo as pessoas se sentirem culpadas. Em nossa sociedade é muito comum jogarmos a culpa em outras pessoas ou usá-las como bode expiatório de nossos problemas. À medida que vamos adquirindo experiência, tornamo-nos mais capacitados a lidar com as dificuldades da vida. Depois de muito discutir, a mulher finalmente aceitou uma modificação que propus para minha frase final das palestras: Você é responsável por tudo em sua vida *desde que se torne consciente* de que é responsável por tudo em sua vida. Não podemos nos sentir "culpados" por sermos pais pobres, por exemplo, a menos que tenhamos consciência de toda a teoria que acabei de expor e a ignoremos. No entanto, a partir do momento que temos essas informações, podemos usá-las para reprogramar nosso comportamento.

E por falar em mitos sobre a paternidade, não criamos todos os nossos filhos da mesma maneira. O segundo filho não é clone do primeiro. O mundo e a nossa vida não são mais os mesmos desde que ele nasceu. Como já mencionei, sempre pensei que tinha sido o mesmo pai para minha filha mais nova e para a mais velha. Porém, ao analisar a questão com mais cuidado, percebi que não fui. Quando a primeira nasceu eu estava cursando a faculdade. Foi uma fase difícil para mim; uma grande carga de responsabilidade que me deixou bastante inseguro. Já quando a segunda nasceu, eu já era um cientista formado e confiante, pronto para iniciar minha carreira acadêmica. Tinha mais tempo e energia psicológica para cuidar dela e também para dar mais atenção à mais velha, que já dava seus primeiros passinhos.

Outro mito que merece ser desbancado é que as crianças precisam de estímulos de desenhos, figuras ou brinquedos educativos que o mercado insiste em criar com o argumento de que ajudam a aumentar sua inteligência. Michael Mendizza e Joseph Chilton Pearce deixam muito claro em seu livro *Magical parent, magical child* [Pai mágico, filho mágico] que a brincadeira, e não a tentativa de programar, é a chave para aumentar a capacidade de aprendizado e desempenho tanto de crianças quanto de adultos (Mendizza e Pearce, 2001). Crianças precisam de pais que incentivem sua curiosidade, criatividade e as descobertas do mundo ao seu redor.

Obviamente, o que nós humanos precisamos na infância é de apoio e de amor para desenvolver nossa habilidade de observar a vida dos mais velhos. Crianças que são criadas em orfanatos e passam o tempo todo no berço sendo apenas alimentadas, sem carinho ou atenção, acabam tendo problemas de desenvolvimento. Mary Carlson, neurobióloga da Escola de Medicina de Harvard, realizou um estudo com órfãos romenos e concluiu que a falta de contato físico e atenção nos orfanatos da Romênia, além da baixa qualidade dos berçários do país, prejudicava o crescimento e afetava o desenvolvimento e o comportamento das crianças. Carlson estudou 60 crianças de idades variando entre alguns meses e três anos medindo seus níveis de cortisol por meio de amostras de saliva. Quanto mais estressadas estavam as crianças (níveis de cortisol mais altos que o normal em sua corrente sanguínea), menor era seu desenvolvimento (Holden, 1996).

Carlson e outros pesquisadores também estudaram o comportamento de macacos e ratos, demonstrando a relação entre hormônios de estresse, cortisol e desenvolvimento social. Estudos desenvolvidos por James W. Prescott, ex-diretor do setor de Saúde humana e desenvolvimento infantil do Instituto Nacional Norte-Americano de Saúde [*National Institutes of Health*] revelaram que macacos recém-nascidos isolados e sem contato físico com suas mães ou com outros macacos desenvolviam perfis de estresse anormais e se tornavam sociopatas violentos (Prescott, 1996 e 1990).

Ele desenvolveu esses estudos avaliando diversas culturas humanas e a maneira que os filhos são criados em cada uma delas. Descobriu que nas culturas em que as crianças recebem carinho físico e não têm a sexualidade reprimida há mais paz e harmonia. Nessas comunidades, os pais mantêm contato físico com os filhos e os carregam no colo ou nas costas o tempo todo. Já as crianças que vivem em sociedades nas quais esse tipo de contato não existe acabam se tornando violentas. Uma característica muito comum nesses casos é o distúrbio afetivo somatossensório, caracterizado pela dificuldade fisiológica de impedir oscilações de hormônios de estresse, precursores de ações violentas.

Essas descobertas ajudam a explicar os níveis de violência nos Estados Unidos. Ao invés de incentivar o contato físico entre pais e filhos, os médicos normalmente os desmotivam. Isso se inicia com a intervenção não natural logo após o parto, por exemplo, em que o recém-nascido é separado dos pais no berçário por longos períodos. Depois, há a recomendação de não irem ao quarto do bebê toda vez que ele chorar para que ele não se torne mimado. São práticas incentivadas pela "ciência" que acabam contribuindo para a violência em nossa civilização. As pesquisas sobre contato físico e sua relação com a violência são descritas com detalhes no *site*: www.violence.de.

Mas, e quanto às crianças romenas que são criadas sem carinho ou afeto e se tornam o que os cientistas chamam de "maravilhosos sobreviventes"? Por que algumas crianças se superam mesmo vivendo em ambientes negativos? Por que têm genes "melhores"? Não consigo acreditar nisto. A causa mais provável é que os pais naturais dessas crianças tenham lhes fornecido um ambiente pré e perinatal mais favorável, além de nutrição adequada ao seu desenvolvimento.

A lição para os pais adotivos é que não devem fingir que a vida das crianças se iniciou no dia em que foram adotadas. Elas já foram programadas no útero a acreditar que não são amadas ou desejadas. Claro, podem ter a sorte de ser adotadas ou cuidadas por pessoas que lhes dêem carinho e que as estimulem. Mas se os pais adotivos não têm consciência dessa programação pré-natal podem não saber como lidar com as situações que surgirem após a adoção. Imaginam que a criança veio para eles "em branco", sem influência alguma dos nove meses que passou no útero. Portanto, a melhor atitude é reconhecer sua programação e tentar modificá-la, se necessário.

A mensagem tanto para os pais adotivos quanto para os naturais é muito clara: os genes que foram transmitidos aos seus filhos refletem apenas um potencial, não seu destino. É sua responsabilidade fornecer a eles um ambiente que incentive o desenvolvimento pleno de suas características inatas.

Não quero dizer com isso que os pais precisam ler centenas de livros sobre o assunto. Conheço muitas pessoas que se interessam intelectualmente pelas idéias que apresento neste livro, mas isso não basta. Eu mesmo já tentei trabalhar apenas com a teoria. Conhecia todos os detalhes acadêmicos mas tive de fazer um esforço

enorme para colocá-los em prática para, só então, minha vida começar a mudar. Se você acha que o simples fato de ler este livro vai fazer com que sua vida familiar se modifique, está agindo como as pessoas que acreditam que uma "pílula" farmacêutica pode resolver todos os problemas. Ninguém se modifica se não fizer um esforço de verdade para mudar.

Está lançado o desafio. Deixe de lado os seus medos infundados e não incuta crenças e medos desnecessários nas mentes subconscientes de seus filhos. E principalmente, não aceite a mensagem fatalista do determinismo genético. Você pode ajudar seus filhos a desenvolver todo o seu potencial e pode mudar sua própria vida também. Ninguém é "vítima" de seus genes.

Aproveite a lição dos sistemas de crescimento e proteção das células e mantenha seu corpo em crescimento sempre que possível. Lembre-se de que os maiores fatores de estímulo para o crescimento humano não são as escolas mais famosas, os brinquedos mais caros e os salários mais altos. Muito antes de os biólogos celulares iniciarem suas pesquisas com as crianças nos orfanatos, os pais conscientes e os mestres como Rumi já sabiam que o melhor incentivo para o crescimento de crianças e adultos é o amor.

Uma vida sem amor não é vida
O amor é a água da vida
Beba-o com o coração e com a alma.

EPÍLOGO

CIÊNCIA E ESPIRITUALIDADE

A emoção mais bela e profunda que podemos sentir é a do sobrenatural. Este é o poder da verdadeira ciência.
ALBERT EINSTEIN

Bem, já caminhamos bastante desde o Capítulo 1, quando comecei a dar aulas para aquele desesperado e inseguro grupo de alunos e iniciei minha jornada rumo à nova biologia. Mas durante o livro todo, um único assunto foi o foco principal: que a inteligência das células pode nos ensinar a viver. Agora que chegamos ao final, gostaria de explicar como meu estudo científico fez com que eu me tornasse uma pessoa espiritualizada e também que me sinto otimista com relação ao futuro de nosso planeta, embora concorde que às vezes é difícil manter o otimismo diante das notícias que lemos diariamente nos jornais.

Propositalmente, separei o assunto de espiritualidade e ciência do restante dos capítulos e resolvi dar a esta parte o título de Epílogo. Um epílogo normalmente é uma pequena descrição ao final de um livro sobre a possibilidade de continuação ou o destino do personagem... que, neste caso, sou eu. Quando as idéias que geraram

este livro surgiram pela primeira vez em minha mente 20 anos atrás, compreendi que se tratava de conceitos tão profundos que minha vida se modificou. No instante em que disse meu grande "ahá", meu cérebro captou a beleza da mecânica da membrana das células. Fui tomado por uma alegria tão intensa e profunda que meu coração ficou apertado e meus olhos se encheram de lágrimas. A mecânica da nova ciência revelou nossa essência espiritual e nossa imortalidade. O resultado foi tão óbvio que naquele mesmo instante deixei de ser agnóstico e passei a acreditar no mundo espiritual.

Sei que para muitas pessoas as conclusões que apresentarei a seguir são meramente especulativas. As que apresentei nos capítulos anteriores são baseadas em mais de 25 anos de estudo de clonagem de células e nas novas e impressionantes descobertas que estão reescrevendo a história de nossa compreensão sobre os mistérios da vida. As conclusões que ofereço neste Epílogo também se baseiam em meu conhecimento acadêmico. Não se trata de mero arroubo ou de fé religiosa. Sei que os cientistas convencionais vão considerá-las inapropriadas porque envolvem a questão do espírito, mas tenho plena consciência de que devo apresentá-las por dois motivos.

O primeiro é uma regra filosófica e científica chamada "a navalha de Occam". Segundo essa regra, quando várias hipóteses são apresentadas para explicar um fenômeno, a mais simples é a que deve ser considerada primeiro. A nova ciência da membrana mágica, em conjunto com os princípios da física quântica, oferece a explicação científica mais simples não apenas para a medicina alopática mas também para a filosofia e prática da medicina complementar e da cura espiritual. Além disso, depois de tantos anos

estudando e aplicando a ciência que apresento neste livro, posso assegurar que ela tem o poder de mudar vidas.

A ciência me levou a um eufórico momento de descoberta bem parecido com a conversão espiritual descrita pelos místicos. Lembra-se da história bíblica de Saul, que foi derrubado de seu cavalo por um raio? Bem, não fui atingido por um raio dos céus caribenhos, mas entrei na biblioteca correndo como um louco porque a consciência do processo da membrana foi "baixada" (literalmente um *download*) em minha consciência durante aquela madrugada e me mostrou que somos todos seres imortais, espirituais e que existimos independentemente de nosso corpo. Foi como se eu ouvisse uma voz dentro de mim dizendo que eu vivia de acordo com preceitos equivocados de que os genes controlam a biologia e que a vida termina quando nosso corpo morre. Tinha passado anos estudando os mecanismos de controle molecular dentro do corpo físico e naquele momento percebi que os "interruptores" que controlam a vida são ligados e desligados por sinais do ambiente... do universo.

Você pode achar estranho que um cientista descubra, em meio aos seus estudos, a espiritualidade. Em círculos acadêmicos a palavra "espírito" provoca a mesma reação que a palavra "evolução" nos círculos fundamentalistas. Como se sabe, espiritualistas e cientistas têm visões completamente diferentes da vida. Quando um espiritualista enfrenta problemas, recorre a Deus ou às forças invisíveis para obter ajuda. Já um cientista, vai até seu laboratório ou consultório e toma medicamentos. Só consegue obter alívio por intermédio das drogas.

Posso afirmar categoricamente que a ciência me levou à espiritualidade, pois as descobertas da física e do mundo das células

mostram cada vez mais a existência de um elo entre ciência e espiritualidade, duas áreas completamente distintas desde a época de Descartes, há alguns séculos. Mas tenho certeza de que quando as duas forem novamente reunidas teremos um mundo muito melhor.

A HORA DA ESCOLHA

A ciência de hoje nos leva a uma visão de mundo não muito diferente daquela das antigas civilizações, segundo a qual todos os objetos da natureza possuíam um espírito. O universo ainda é considerado como um todo pelas comunidades aborígenes que sobreviveram no planeta. Não fazem distinção entre as rochas, o ar e os seres humanos. Todos são imbuídos de espírito, uma energia invisível. Parece familiar? Pois esse é o mundo da física quântica, em que matéria e energia estão intimamente ligadas. É o mundo de *Gaia*, que mencionei no Capítulo 1, no qual todo planeta é considerado um único organismo que precisa ser protegido da ganância, da ignorância e da falta de planejamento.

Hoje, mais do que nunca, precisamos dessa visão de mundo. Quando a ciência se afastou da espiritualidade, sua missão se modificou drasticamente. Em vez de tentar entender a "ordem natural", para que os seres humanos pudessem viver em harmonia, passou a tentar controlar a natureza. A tecnologia resultante dessa filosofia levou a civilização à beira de um estado de autocombustão resultante da infração de todas as leis naturais. A evolução de nossa biosfera já sofreu cinco "extinções em massa", incluindo a que destruiu os dinossauros. Cada uma delas praticamente varreu a vida da superfície do planeta. Alguns pesquisadores acreditam, como mencionei

no Capítulo 1, que estamos "no meio" da sexta extinção em massa. Mas esta, diferente daquelas causadas por forças galácticas como os cometas, está sendo causada por uma força muito mais próxima: os seres humanos. Na próxima vez que você se sentar em sua varanda para assistir ao pôr-do-sol, observe suas cores maravilhosas. É a beleza da poluição. E quanto mais destruído o planeta estiver, mais esplendoroso será o espetáculo de cores que teremos para apreciar.

Enquanto isso, vamos vivendo em um mundo sem contexto moral. As aspirações espirituais foram substituídas por uma guerra de acúmulo de bens materiais. Quem tem os melhores brinquedos vence. Minha imagem favorita dos cientistas e tecnólogos que nos levaram a este mundo materialista é a de um filme de Disney chamado *Fantasia*. Lembra-se do Mickey Mouse como aprendiz desajeitado do grande mago? O mago pede a ele que cuide da casa enquanto se ausenta. Uma de suas tarefas é encher um grande tanque com água do poço. Como sempre observava o mago fazer truques de magia, tentou tornar as tarefas mais fáceis jogando um feitiço em uma vassoura, que se transforma em um carregador de baldes com água.

Mas enquanto Mickey dorme, a vassoura continua a encher a cisterna sem parar até inundar o laboratório. Ele acorda e tenta quebrar o feitiço, mas seus conhecimentos de magia são tão limitados que suas tentativas tornam a situação ainda pior. A inundação aumenta cada vez mais até que o mago chega e coloca tudo em ordem novamente. A história é descrita da seguinte maneira: "Esta é a lenda de um mago que tinha um aprendiz. Era um jovem brilhante, ansioso por aprender sobre magia. Na verdade, era até um pouco brilhante demais, pois começou a fazer feitiços mesmo sem saber como controlá-los". Hoje, muitos cientistas brilhantes agem como

Mickey Mouse, brincando com nossos genes e nosso meio ambiente sem compreender que tudo neste planeta é interligado e que toda ação tem uma reação, muitas vezes com trágicos resultados.

Como chegamos a esse ponto? Houve uma época em que a ciência teve de se separar do lado espiritual, ou melhor, da corrupção da Igreja. Essa poderosa instituição impedia todas as pesquisas científicas que fossem contra seus dogmas. Foi Nicolaus Copérnico, um político habilidoso e grande astrônomo, quem iniciou a divisão espírito/ciência e divulgou para o público seu manuscrito: *De revolutionibus orbium celestium* [A revolução das esferas celestiais]. O documento, escrito em 1543, declarava que o Sol, e não a Terra, era o centro das "esferas celestiais". É um conceito óbvio nos dias de hoje, mas naquele tempo foi considerado uma heresia, algo que ia contra os princípios da "infalível" Igreja, segundo a qual a Terra era o centro do firmamento divino. Copérnico sabia que a Inquisição poderia acabar por destruí-lo e por isso esperou estar em seu leito de morte para publicar seu trabalho. Sua prudência se justificava. Cinqüenta e sete anos depois Giordano Bruno, um monge dominicano que teve a ousadia de defender a cosmologia de Copérnico, foi queimado na fogueira por heresia. Copérnico foi mais inteligente que a Igreja. Não há como castigar um herege intelectual que já está no túmulo. O máximo que podiam fazer era tentar impedir a disseminação de suas idéias.

Um século depois, o matemático e filósofo francês René Descartes começou a utilizar métodos científicos para testar a validade de determinadas "verdades". Mas, claro, as forças invisíveis do mundo espiritual não são algo fácil de ser analisado. Além disso, na era pós-moderna os cientistas eram incentivados a estudar o mundo

natural. As "verdades" espirituais eram relegadas às esferas da religião e da metafísica. O espírito e outros conceitos metafísicos eram considerados "não-científicos" porque não podiam ser medidos ou avaliados pelos métodos analíticos da ciência. Portanto, tudo o que era "importante" sobre a vida e o universo passou a ser de domínio da ciência racional.

A divisão espírito/ciência recebeu ainda mais reforços em 1859 com a teoria da evolução, de Darwin. A notícia se espalhou pelo globo tão rápido quanto as que são transmitidas pela Internet nos dias de hoje e foi imediatamente aceita, porque seus princípios pareciam explicar as experiências do povo, que sempre cruzou e aprimorou raças de gado, animais domésticos e plantas. O darwinismo atribuía as origens da humanidade à casualidade das variações hereditárias, ou seja, que não havia necessidade da intervenção divina em nossa vida ou na ciência. Os cientistas modernos não reverenciavam o universo mais do que os antigos, mas com a teoria de Darwin deixaram de associar a figura de Deus à de um grande "*designer*", criador da natureza em todos os seus detalhes. Ernst Mayr, um famoso darwinista, escreveu: "Quando nos perguntamos se há realmente perfeição no mundo encontramos apenas a arbitrariedade, a falta de planejamento, o acaso e os eventos acidentais..." (Mayr, 1976).

A teoria de Darwin explica que o propósito da vida é a sobrevivência, mas não especifica quais meios devem ser utilizados para isso. Aparentemente, o conceito sugere que "tudo é válido" desde que se consiga sobreviver. Em vez de moldar os princípios da vida dentro das leis da moralidade, o princípio neodarwinista de Mayr sugere que devemos viver segundo as leis da selva e também que, aqueles que têm mais, fizeram por merecer. No Ocidente, acabamos aceitando a inevitabilidade de uma civilização do "ter" ou "não ter". Não queremos aceitar o fato de que tudo neste mundo tem um preço. Infelizmente, isso inclui, além de um planeta maltratado, os mendigos e as crianças obrigadas a trabalhar e que produzem muitos dos itens que compramos em nosso dia-a-dia. Eles são os perdedores dessa batalha.

SOMOS FEITOS À IMAGEM DO UNIVERSO

Naquela manhã no Caribe, percebi que mesmo os "vencedores" em nosso mundo darwiniano são perdedores, pois somos todos um único ser que faz parte de um grande universo/Deus. As células adotam determinado tipo de comportamento quando seu cérebro, a membrana, reage aos sinais do ambiente. Na verdade, cada proteína funcional em nosso corpo é uma "imagem" complementar de um sinal do ambiente. Se não houvesse um sinal para complementá-las elas não teriam função. Isso significa, segundo concluí naquele grande momento de "ahá", que cada proteína em nosso organismo é um complemento físico-eletromagnético de algo no ambiente. Como somos máquinas de proteína, por definição somos feitos à imagem do ambiente, seja ele o chamado universo ou, como muitos preferem chamá-lo, o próprio Deus.

Mas voltemos à questão dos ganhadores e perdedores. Como nós, seres humanos, nos desenvolvemos como um complemento do ambiente, se continuarmos a modificá-lo dessa maneira acabaremos deixando de ser este complemento. Simplesmente não nos "encaixaremos" mais. Já alteramos tanto as características deste planeta que estamos colocando em risco nossa própria sobrevivência e a de

diversos outros organismos que estão desaparecendo rapidamente. Essa ameaça se estende também aos ricos e poderosos, não apenas aos perdedores da competição pela sobrevivência. Temos duas saídas para este dilema: morrer ou mudar. Precisamos todos nos conscientizar de que a ânsia de vender "Big Macs" pode dizimar nossas florestas, que o número cada vez maior de veículos nas ruas polui o ar e que as indústrias petroquímicas destroem o solo e poluem os rios. Fomos criados pela natureza para nos adaptar ao ambiente, mas não a um ambiente como este que estamos criando.

Aprendi com as células que somos parte de um todo, daí corrermos todos o mesmo perigo. Também aprendi que cada um de nós possui uma identidade biológica. Mas por quê? O que torna cada comunidade celular tão única? Na superfície de nossas células existe uma família de receptores de identidade que distinguem os seres uns dos outros.

Um estudo bem detalhado desses receptores, chamados auto-receptores ou antígenos dos leucócitos humanos (HLA), mostra que eles têm relação com as funções do sistema imunológico. Se fossem removidos de nossas células elas deixariam de refletir nossa identidade. Ainda seriam células humanas, mas sem personalidade específica. Os auto-receptores são necessários para que haja uma identidade.

Quando doamos um órgão, quanto mais semelhantes aos nossos forem os auto-receptores da pessoa que irá recebê-lo, menos agressiva será a reação de rejeição de seu sistema imunológico. Por exemplo: digamos que 100 auto-receptores diferentes na superfície de cada célula sejam utilizados para que haja uma identidade e que você precise receber um órgão para sobreviver. Fazemos um exame

para comparar meus auto-receptores com os seus e descobrimos que temos apenas 10 do mesmo tipo. Eu não seria, então, um bom doador para você. A natureza desigual de nossos auto-receptores revela que nossas identidades são muito diferentes. Essa diferença faria com que os receptores das membranas ativassem seu sistema imunológico e seu corpo tentaria eliminar o conjunto de células transplantadas estranhas a ele. Você teria mais chances de sobreviver encontrando um doador de auto-receptores mais semelhantes aos seus.

Não existe, porém, compatibilidade de 100 por cento. Os cientistas não encontraram, até agora, indivíduos biologicamente iguais. Mas, em teoria, é possível criar tecidos doadores universais removendo os auto-receptores das células. Várias experiências desse tipo já foram feitas em laboratório. As células perdem a identidade e não são rejeitadas pelo novo organismo. Embora os cientistas se concentrem no estudo da natureza desses receptores relacionados ao sistema imunológico, é importante observar que não são os receptores de proteína que conferem identidade a um indivíduo mas sim o princípio que os ativa. Cada célula tem uma série de dispositivos receptores localizados na superfície externa de sua membrana que agem como "antenas", captando sinais complementares do ambiente. Esses receptores "lêem" os sinais do "eu", que não existe dentro da célula mas sim no ambiente ao seu redor.

Imagine o corpo humano como um aparelho de televisão. Você é a imagem na tela. Mas sua imagem não vem de dentro do aparelho. Sua identidade é uma transmissão do ambiente captada por uma antena. Um dia você liga a TV e a imagem simplesmente não aparece. Sua primeira reação é pensar: "Que #&*%!! A televisão quebrou". Mas será que a imagem deixou de existir? Para

saber, basta pegar outra televisão, ligar e sintonizar o mesmo canal a que você estava assistindo. A imagem continua existindo mesmo que a televisão tenha "morrido". A morte do receptor não elimina a transmissão do ambiente.

Nessa analogia, a televisão física equivale à célula. A antena que capta a programação representa nosso conjunto de receptores de identidade e a transmissão representa o sinal do ambiente. Como estamos acostumados com o conceito do mundo materialista newtoniano, podemos imaginar que os receptores de proteína das células são o "eu". Mas isso equivaleria a acreditar que a antena da TV é a fonte da identidade da imagem. Os receptores da célula não são a fonte mas sim os veículos do "eu" baixados (como um *download*) do ambiente.

Quando compreendi essa relação, percebi que minha própria identidade (meu "eu") sempre existiu no ambiente, independentemente de meu corpo estar presente ou não. Assim como na analogia da TV, se meu corpo morrer e no futuro um novo indivíduo (um "aparelho de TV biológico") nascer com o mesmo tipo de receptores, minha identidade pode ser baixada e eu passarei a estar presente no mundo novamente. Mesmo que meu corpo físico morra, a transmissão continuará presente. Minha identidade é como uma complexa assinatura: contém uma imensa quantidade de informações que abrangem coletivamente o ambiente.

O que comprova minhas conclusões de que a transmissão de um paciente continua presente mesmo após sua morte são os casos de muitas pessoas que dizem sentir modificações psicológicas e comportamentais após receberem um transplante de órgãos. Um exemplo é o de Claire Sylvia, da Nova Inglaterra, que sempre teve

personalidade bastante conservadora, porém, começou a gostar de cerveja, *nuggets* de frango e motocicletas após sofrer um transplante de coração. Procurou então a família do doador e descobriu que ele era um rapaz de 18 anos que gostava de motocicletas e adorava *nuggets* e cerveja. Em seu livro, *A voz do coração*, ela descreve as transformações de sua personalidade e também as experiências de outros pacientes, com quem teve contato em um grupo de apoio após o transplante (Sylvia e Novak, 1997). Paul P. Pearsall também relata diversas histórias em seu livro *The heart's code: tapping the wisdom and power of our heart energy* (Pearsall, 1998) [O código do coração: a sabedoria e o poder da energia de nosso coração]. A precisão das lembranças que acompanham esses transplantes vai muito além das coincidências. Uma jovem começou a ter pesadelos com assassinatos após sofrer um transplante de coração. Os sonhos eram tão vívidos que levaram à captura do assassino do doador.

Uma teoria sobre como esses novos comportamentos são implantados no paciente junto com o órgão é que existe uma "memória celular", ou seja, de que algumas de nossas lembranças ficam impregnadas em nossas células. Apesar de todo o meu respeito pela inteligência das células, devo fazer um parêntese. Sim, as células podem "se lembrar" que são parte de um músculo ou do fígado, mas há um limite para sua inteligência. Não acredito que sejam dotadas de mecanismos capazes de distinguir ou de se lembrar de algo tão específico quanto o gosto por *nuggets*, por exemplo!

Os conceitos de memória psicológica e comportamental fazem todo sentido se pararmos para pensar que os órgãos transplantados mantêm os receptores de identidade dos doadores e, aparentemente, continuam absorvendo as mesmas informações ambientais. Apesar

de o corpo da pessoa que os doou esteja morto, sua transmissão continua. Naquela noite em que descobri como funciona o mecanismo da membrana celular, também percebi que todos somos, na verdade, seres imortais.

Os transplantes de células e de órgãos oferecem um modelo não apenas da imortalidade como também da reencarnação. Considere a possibilidade de que no futuro um embrião venha a apresentar as mesmas características e receptores de identidade que eu possuo hoje. Será, então, um embrião de "mim mesmo". Minha identidade estará de volta, porém em um corpo diferente. Discriminações raciais e de sexos passam a ser algo ridículo e até mesmo imoral quando percebemos que nossos receptores podem ser reproduzidos no futuro tanto em um corpo branco como em um negro, asiático, masculino ou feminino. Como o ambiente representa "tudo o que existe" (Deus) e nossas antenas receptoras captam apenas parte do sinal universal, cada um de nós representa uma pequena parte dele... uma pequena parte de Deus.

MORADORES DA TERRA

Embora a analogia da TV seja útil para explicar a teoria, não é completa porque a televisão é apenas um aparelho receptor. Mas durante a vida, nossas atitudes alteram o ambiente. O simples fato de existirmos no planeta já modifica algumas coisas. Portanto, uma maneira mais completa de compreendermos nosso relacionamento com o espírito é comparar os humanos aos robôs "Spirit" e "Opportunity" enviados a Marte ou mesmo a outras naves da Nasa que enviamos à Lua e a Marte. Os humanos ainda não têm condições físicas de

ir a Marte, mas todos gostaríamos de saber como seria pousar naquele planeta. Enquanto isso, enviamos equipamentos equivalentes a exploradores humanos. Embora não se pareçam em nada conosco, eles têm funções similares às nossas. São equipados com câmeras que registram imagens do planeta como se fossem "olhos". Possuem também detectores de vibração que funcionam como "ouvidos", sensores químicos que identificam "gostos" e assim por diante. Esses aparelhos podem sentir o ambiente de Marte quase como nós o faríamos.

Vamos analisar os detalhes do funcionamento desses robôs. Suas antenas ("receptores") são ajustadas para receber a transmissão de informações de um humano da Nasa. É ele que envia os dados que fazem com que o robô se movimente. No entanto, ele não apenas recebe informações. O controlador da Nasa também recebe as informações sobre o que acontece com o robô e interpreta as experiências dele, usando-as no aperfeiçoamento da navegação sobre o terreno de Marte.

Você e eu somos "residentes da Terra" e recebemos informações de uma grande central de controle técnico-espiritual. As experiências que adquirimos durante a vida são enviadas a essa central, nosso espírito. Portanto, a maneira como você vive influencia diretamente as características de seu "eu". Essa interação corresponde ao conceito de carma. Quando compreendemos isso, passamos a prestar mais atenção à maneira que vivemos neste planeta, pois as conseqüências de nossos atos se prolongam além da existência de nosso corpo. Tudo o que fazemos tem conseqüências que podem nos afetar hoje ou mesmo a uma versão futura de nosso ser.

O conhecimento sobre as células somente confirma o que os grandes sábios espirituais vêm nos ensinando há séculos: cada um

de nós é um espírito encarnado na matéria. Uma analogia interessante para essa verdade espiritual é o que ocorre quando a luz atravessa um prisma.

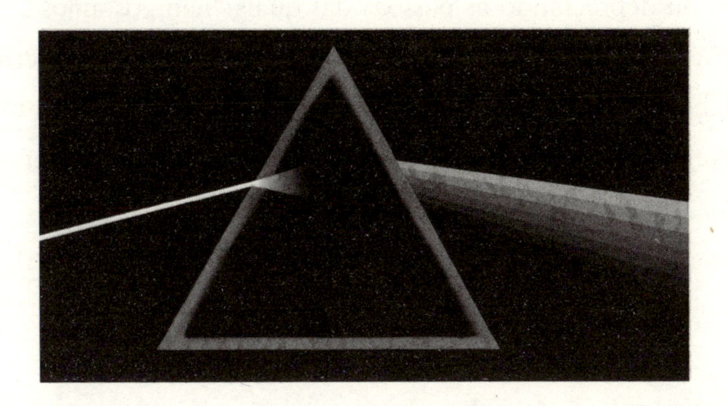

Quando um feixe de luz branca atravessa um prisma, sua estrutura cristalina a refrata e distribui, fazendo com que ela se transforme em um espectro semelhante a um arco-íris. As cores que compõem a luz branca são vistas em separado devido à sua freqüência individual. Se o processo for revertido, ou seja, se projetarmos um espectro com as cores do arco-íris por meio de um cristal, as freqüências de cada uma delas vão se recombinar e formar um facho de luz branca. Agora, imagine que a identidade de cada ser humano é a freqüência individual de uma das cores do espectro. Se eliminarmos propositalmente uma delas, ou seja, se retirarmos uma das cores de que "não gostamos" e tentarmos fazer o restante passar pelo prisma, o resultado não será mais luz branca. Por definição, a luz branca é composta de todas as freqüências juntas.

Muitos espiritualistas prevêem o retorno da Luz Branca ao planeta e imaginam que virá na forma de um indivíduo como Buda, Jesus ou Mohamed. De acordo com minha recente descoberta da

espiritualidade, imagino que a Luz Branca somente retornará ao planeta quando os seres humanos reconhecerem uns aos outros como freqüências individuais de suas cores. Enquanto continuarmos matando ou depreciando as pessoas das quais "não gostamos", como se estivéssemos destruindo uma simples freqüência do espectro em um laboratório, jamais conheceremos a Luz Branca. Nossa missão é proteger e cuidar de cada freqüência humana para que o espectro de Luz Branca possa voltar a brilhar.

EVOLUÇÃO FRACTAL: UMA TEORIA DE VIDA

Agora, que já expliquei por que hoje sou um cientista espiritual, gostaria de explicar por que sou otimista. Acredito que a história da evolução seja uma história de padrões repetitivos. Estamos em meio a uma crise, mas o planeta já passou por situações assim. A evolução é cheia de altos e baixos, com a extinção de diversas espécies, incluindo a dos dinossauros. Esses altos e baixos sempre estiveram ligados a catástrofes ambientais, exatamente o que temos hoje. À medida que a população humana cresce, passamos a disputar espaço com os organismos com os quais dividimos o planeta. A boa notícia, porém, é que situações desse tipo sempre deram origem a novas formas de vida, e o mesmo deve acontecer agora. Conforme esse ciclo se finaliza, as pessoas vão ficando alarmadas e apreensivas quanto às falhas na estrutura que sustentam a civilização. Mas eu acredito que os "dinossauros" que estão destruindo a natureza em breve estarão extintos. Os sobreviventes serão aqueles que perceberem que, ao destruir o planeta, estamos destruindo a nós mesmos.

Como eu posso ter tanta certeza? Minha teoria se baseia no estudo da geometria fractal. Vamos começar com uma definição de geometria que explica por que ela é importante para o estudo da estrutura de nossa biosfera. Geometria é uma maneira matemática de entender "o modo pelo qual diferentes partes de um objeto se encaixam uns nos outros". Até 1975, o único tipo de geometria era a euclidiana, descrita no 13º volume dos textos gregos chamados "Os elementos de Euclides", escritos em 300 a.C. Para os alunos que têm boa noção espacial, esse tipo de geometria é fácil de entender porque ela utiliza estruturas como cubos, esferas e cones e pode ser mapeada em papel quadriculado.

Mas isso não se aplica à natureza. Não se pode mapear uma árvore, uma nuvem ou uma montanha utilizando fórmulas matemáticas euclidianas. Na natureza, as estruturas orgânicas e inorgânicas apresentam padrões irregulares e aparentemente caóticos. Essas imagens naturais somente puderam ser reproduzidas com o proposição da geometria fractal. O matemático francês Benoit Mandelbrot propôs a primeira teoria de matemática e geometria fractal em 1975. Diferentemente da física quântica, a geometria fractal (fracionária) nos força a levar em consideração esses padrões irregulares, um mundo estranho de formas curvas e objetos de mais de três dimensões.

A matemática dos fractais é extremamente simples porque envolve apenas uma equação com multiplicação e adição. A mesma equação é repetida um número infinito de vezes. Por exemplo: o "conjunto de Mandelbrot" baseia-se na simples fórmula de pegar um número, multiplicá-lo por ele mesmo e adicioná-lo ao resultado. O número resultante é então utilizado novamente na mesma equação e o resultado utilizado mais uma vez na equação, e assim por diante. O desafio é que, apesar de cada equação seguir a mesma fórmula, essas equações têm de ser repetidas milhões de vezes para que se encontre o padrão fractal. O trabalho manual e o tempo que se consome nessa operação impedia os matemáticos de reconhecer o valor da geometria fractal. Mas com o advento dos computadores, Mandelbrot conseguiu definir sua nova matemática.

A geometria dos fractais envolve a criação de padrões repetitivos, "semelhantes a si mesmos" e alojados um no outro. Uma imagem semelhante, embora bastante rudimentar, é a das bonecas russas pintadas à mão. Cada uma das pequenas é uma miniatura, embora não exatamente a mesma versão das maiores. A geometria fractal enfatiza o relacionamento entre os padrões de uma estrutura completa e os de cada parte dela. Por exemplo: o padrão dos ramos de uma árvore lembra o dos galhos principais, que saem do tronco. O padrão de um rio lembra os padrões de seus afluentes. No pulmão humano, o padrão fractal das ramificações dos brônquios se repete nos pequenos bronquíolos. Os vasos arteriais e venosos e o sistema nervoso periférico também têm padrões similares.

Mas será que as imagens repetitivas observadas na natureza são mera coincidência? Acredito que não. Deixe-me apresentar dois motivos pelos quais acredito que a geometria fractal define a estrutura da vida. O primeiro é que a história da evolução é (como já mencionei diversas vezes neste livro) a história da ascensão a níveis mais altos de consciência. O segundo é que em nosso estudo da membrana definimos o complexo de proteínas receptoras-executoras (PIMs) como a unidade básica de consciência-inteligência. Conseqüentemente, quanto mais proteínas receptoras-executoras

(as azeitonas em nosso sanduíche-modelo de pão com manteiga) um organismo processa, mais consciência ele tem e mais alto ele se encontra na escala evolucionária.

No entanto, há restrições físicas para o aumento do número de proteínas receptoras-executoras dentro da membrana das células. A espessura da membrana é de sete a oito nanômetros, o diâmetro de sua camada fosfolipídica. O diâmetro médio das proteínas receptoras-executoras "conscientes" é aproximadamente o mesmo dos fosfolipídios nos quais estão inseridas. Como a espessura da membrana tem espessura definida, não se pode inserir PIMs nelas aleatoriamente, umas sobre as outras. Só pode haver uma camada. Conseqüentemente, a única opção para o aumento do número de proteínas conscientes é ampliar a extensão da superfície da membrana.

Voltemos ao nosso modelo de "sanduíche". Mais azeitonas significam mais consciência. Quanto maior o número delas, mais inteligente é o sanduíche. Então, o que tem maior capacidade: um grão de centeio ou uma fatia de pão? A resposta é simples: quanto maior a superfície do pão, maior o número de azeitonas que cabem no sanduíche. Em termos de analogia, quanto maior a área da superfície da membrana uma célula tem, mais "azeitonas" de proteína cabem nela. A evolução, ou expansão da consciência, pode então ser definida como o aumento da área de superfície da membrana. Estudos matemáticos revelam que a geometria fractal é a melhor maneira de obter uma superfície maior (membrana) em um espaço tridimensional (célula). Com isso, a evolução passa a ser uma questão fractal.

A repetição de padrões na natureza é uma necessidade, e não uma coincidência da evolução "fractal".

No entanto, a intenção aqui não é nos atermos aos detalhes matemáticos do modelo celular. O importante é mencionar que os padrões fractais de repetição se repetem na natureza e na evolução também. As belas figuras geradas por computador que ilustram os padrões fractais servem para nos lembrar de que, apesar de toda a agitação do mundo moderno e o aparente caos predominante, existe ordem na natureza. Portanto, não há novidade. Os padrões fractais repetitivos nos permitem prever que os seres humanos acabarão descobrindo uma maneira de expandir sua consciência para galgar degraus mais altos na escala da evolução. Esse mundo interessante, e mesmo esotérico, dos fractais mostra que a "arbitrariedade, a falta de planejamento, o acaso e os eventos acidentais" descritos por Mayr são conceitos do passado. Não servem mais para a humanidade e devem ser substituídos, exatamente como aconteceu com os conceitos de que a Terra era o centro do universo.

Quando entendermos que os processos da natureza e da evolução são sempre repetitivos, a vida das células (que inspirou este livro e que modificou minha existência) passará a ser um conceito altamente instrutivo. Há bilhões de anos os sistemas celulares seguem um planejamento eficaz que lhes permite aumentar suas chances de sobrevivência e também a sobrevivência de outros organismos na biosfera. Imagine uma população de trilhões de indivíduos vivendo sob o mesmo teto em estado de felicidade perpétua. Sim, essa comunidade existe e se chama corpo humano saudável. Obviamente, as comunidades celulares trabalham melhor que as humanas. Nelas não há "mendigos" ou células discriminadas. A menos, claro, que a comunidade esteja em desarmonia, o que faz com que algumas delas deixem de cooperar com as outras. O câncer é um exemplo disso.

Se os humanos seguissem o estilo de vida das comunidades de células saudáveis, nossa sociedade e nosso planeta seriam muito mais pacíficos. Mas criar comunidades pacíficas é um desafio porque cada pessoa neste mundo vê a realidade de uma maneira diferente. São seis bilhões de versões humanas da mesma realidade do planeta, cada uma refletindo sua própria verdade. À medida que a população cresce, essas realidades se chocam umas contra as outras.

As células enfrentaram desafios semelhantes no início da evolução, como descrevi no Capítulo 1, o que mostra mais uma vez que tudo se repete. Logo depois que o planeta se formou, os organismos unicelulares começaram a se desenvolver rapidamente. Milhares de variações de bactérias, algas, fungos e protozoários, cada um com seu nível de consciência, surgiram nos três e meio bilhões de anos seguintes. Assim como nós, esses organismos unicelulares começaram a se multiplicar sem controle e povoaram todo o ambiente. Quando, porém, a população atingiu números excessivos, alguns deles começaram a se perguntar: "Será que vai sobrar alimento suficiente para mim?". Deve ter sido um período difícil para eles também. Então, com a proximidade forçada e as conseqüentes modificações no ambiente, começaram a procurar soluções para as pressões constantes. Isso levou a uma nova e gloriosa era da evolução, pois as células se uniram para formar as altruístas comunidades multicelulares. O resultado final foi a humanidade, o nível mais alto da escala evolutiva.

Por isso acredito que os problemas causados pelo aumento cada vez mais significativo da população humana nos farão evoluir ainda mais. Um dia nos tornaremos uma comunidade global. Os membros desta comunidade mais evoluída reconhecerão que somos feitos à imagem do ambiente, que somos seres divinos e que temos de viver não colocando em primeiro lugar a sobrevivência a qualquer preço, mas sim a maneira que permita a todos os seres do planeta viver com dignidade.

A SOBREVIVÊNCIA DAQUELES QUE SABEM AMAR

Apesar de as palavras de Rumi serem nobres, muita gente pode dizer que não se adapta aos tempos de hoje, tão conturbados, em que só os mais fortes parecem sobreviver. Será que Darwin estava certo e a violência é mesmo algo necessário? Não será parte do mundo natural? E todos esses documentários que mostram animais perseguindo uns aos outros, caçando e matando? Será que os seres humanos não possuem mesmo uma inclinação nata para a violência? A lógica diz: se os animais são violentos e humanos são animais, os humanos são violentos.

Não! Seres humanos não nascem com esses instintos inatos de competição ou com genes que os tornem violentos. Os chimpanzés, animais geneticamente mais próximos aos seres humanos, são a prova de que a violência não é parte necessária da biologia. Os bonobos, uma espécie de chimpanzé, criaram comunidades pacíficas com machos co-dominantes onde as fêmeas lideram. Diferentemente dos outros chimpanzés, as comunidades dos bonobos possuem um código de ética de não-violência que poderia bem ser descrita como "faça amor, não faça guerra". Quando os chimpanzés dessas sociedades ficam agitados, não dispersam a energia acumulada em lutas, e sim tendo relações sexuais.

Pesquisas recentes realizadas pelos biólogos da Universidade de Stanford, Robert M. Sapolsky e Lisa J. Share, mostram que mesmo

os babuínos selvagens, considerados uma das raças mais violentas do planeta, não possuem propensão genética à violência (Sapolsky e Share, 2004). Em um grupo estudado, os machos agressivos morreram ao comer carne contaminada jogada em uma lata de lixo pelos turistas. Com isso, a estrutura social do grupo teve de ser recriada. Segundo os pesquisadores, as fêmeas ajudaram a fazer com que os machos restantes, menos agressivos, adotassem comportamento mais cooperativo, o que levou a comunidade a uma vida muito mais pacífica. No editorial da Biblioteca Pública de Biologia e Ciências de Stanford, no qual a pesquisa foi publicada, o pesquisador Frans B. M. de Waal, da Universidade de Emory, escreveu: "... mesmo os primatas mais ferozes não precisam ser assim para sempre" (de Waal, 2004).

Além disso, por mais programas da *National Geographic* que assistamos, não precisamos agir como os animais selvagens. Estamos no topo da cadeia alimentar predador/presa. Nossa sobrevivência depende de nos alimentarmos de organismos que estão abaixo de nós. Sem predadores naturais não somos "presas" e não necessitamos da violência.

Claro, isso não significa que estejamos imunes às leis da natureza. Podemos ser devorados por outros animais. Somos mortais e a única coisa que podemos esperar, depois de uma vida de não-violência, é que nosso corpo seja reciclado pelo ambiente. É muito engraçado pensar que os seres humanos, que estão no topo da cadeia alimentar, no final acabem sendo devorados pelos organismos que estão no nível mais baixo dela: as bactérias.

Contudo, devo dizer que não é fácil termos uma vida sem violência. Apesar de nossa posição na cadeia alimentar, somos

nossos próprios inimigos. Alguns animais da mesma comunidade podem se voltar uns contra os outros, mas a luta entre membros da mesma espécie se limita a posturas ameaçadoras, sons e gestos, nunca chegando à morte. A causa da violência entre eles costuma ser a disputa por água, alimentos e ar, necessários à sobrevivência, ou a seleção de machos para a propagação.

Já entre os humanos, ao contrário, a necessidade de violência para garantir a sobrevivência ou como método de seleção natural é mínima. Nossa violência está associada à aquisição de bens materiais além do necessário para a sobrevivência ou à compra e distribuição de drogas utilizadas para escaparmos do pesadelo deste mundo que criamos. Nossas crianças e mulheres sofrem maus-tratos geração após geração. Talvez a forma mais comum de violência seja o controle ideológico. Ao longo da história, os movimentos religiosos e os governos instigaram as massas à violência e à agressão para eliminar os descrentes e dissidentes.

Além de desnecessária, a violência humana não é algo inerente, genético ou um instinto "animal". Temos a habilidade e a obrigação de eliminá-la. E como mencionei no último capítulo deste livro, acredito que a melhor forma de fazermos isso é perceber que somos seres espirituais que precisam tanto de amor como de alimento. Mas não vamos chegar a um nível mais alto de evolução se continuarmos pensando que não podemos modificar nossas crianças ou mesmo nossa vida simplesmente lendo livros. A melhor solução é nos unirmos a comunidades de pessoas que trabalham para o avanço da civilização humana e que perceberam que a sobrevivência daqueles que sabem amar é a única maneira de garantirmos não apenas uma vida pessoal mais saudável como também um planeta melhor.

Lembra-se de meus alunos rejeitados do Caribe que se uniram, como as células que estudavam em seu curso de histologia, para formar uma comunidade de mentes bem-sucedidas? Seguir seu exemplo pode nos ajudar a garantir um final feliz não apenas para os indivíduos que acreditam na auto-sabotagem, mas para todo o planeta. Use a inteligência das células e ajude a elevar a humanidade ainda mais na cadeia evolucionária até que um dia as pessoas que têm amor no coração sejam as que, além de sobreviver, possam ter uma vida plena de verdadeiro sucesso.

ADENDO

A ciência mostrada neste livro define como as crenças controlam o comportamento, a atividade genética e, conseqüentemente, o desenvolvimento de nossa vida. O capítulo sobre paternidade consciente explica como a maioria de nós tem crenças auto-sabotadoras que foram incutidas em nossa mente subconsciente durante a infância.

Como mencionei, há diversas técnicas psicológicas de última geração que utilizam a "energia" e permitem acessar e reprogramar esses programas subconscientes. Antes de terminar, gostaria de mencionar uma dessas técnicas chamada Psych-K, pois eu mesmo a experimentei e posso garantir que se trata de um método muito simples, eficaz e íntegro.

Conheci Rob Williams, criador do Psych-K™, em 1990, numa conferência na qual ambos éramos palestrantes. Como sempre fazia ao final de minhas apresentações expliquei aos presentes que, se modificassem suas crenças, modificariam sua vida. E como sempre, alguém levantou a mão e perguntou: "Certo, Bruce. Mas como podemos fazer isso?"

Naquela época eu não ainda não sabia que a mente subconsciente desempenhava um papel tão importante no processo de mudança. Achava que o poder do pensamento positivo e da força de vontade eram suficientes. No entanto, eu mesmo não conseguia modificar minha vida e sentia que cada vez que propunha soluções desse tipo, a energia na platéia murchava como um balão furado. Assim como eu, a maioria das pessoas ali já havia utilizado técnicas de pensamento positivo e força de vontade, com pouco ou nenhum sucesso.

Naquele dia, terminei minha palestra e me sentei com a platéia para assistir à apresentação do palestrante que viria a seguir, o psicólogo Rob Williams. Suas primeiras frases já prenderam nossa atenção. Ele afirmou que o Psych-K™ permite modificar crenças de longa data em questão de minutos.

Perguntou se alguém na platéia tinha algum problema que o estivesse incomodando muito. Uma mulher levantou a mão timidamente, abaixando-a logo em seguida e levantando-a novamente. Estava visivelmente constrangida. Quando Rob perguntou do que se tratava, ela respondeu em um tom de voz tão baixo que ninguém conseguiu ouvir. Ele teve de descer do palco, aproximar-se dela e anunciar a todos que ela tinha dificuldade para "falar em público". Voltou então ao palco e pediu que ela fosse com ele. Hesitante, ela o seguiu. Rob pediu a ela que dissesse, em frente à audiência de quase 100 pessoas, qual era o seu problema. A mulher quase não conseguia falar.

Ele utilizou então uma das técnicas de Psych-K™ com ela durante cerca de 10 minutos. E pediu a ela que dissesse a todos como se sentia. A mudança foi impressionante. Ela estava não apenas

mais relaxada como conseguia falar com a platéia em um tom de voz tranqüilo e confiante. Ficamos todos de olhos arregalados e queixos caídos. A mulher tomou conta do palco por mais de cinco minutos e falou tanto que Rob teve de pedir a ela que se sentasse para poder terminar a palestra!

Como se tratava de uma conferência anual e tanto ela como eu participávamos sempre, pude acompanhar sua impressionante transformação nos anos seguintes. Ela superou totalmente seu medo de falar em público e começou a vender eletrodomésticos por encomenda em sua cidade. Em pouco tempo passou a dar palestras e a fazer apresentações sobre os produtos e chegou a ganhar prêmios por seu desempenho! A vida daquela mulher se transformou radicalmente em apenas alguns minutos. E tenho visto, nos últimos 15 anos, muitas pessoas que recuperaram a auto-estima e modificaram seus relacionamentos, sua vida financeira e sua saúde com a ajuda do Psych-K™.

O processo envolve técnicas simples, diretas e que se pode facilmente verificar. Utiliza a interação mente-corpo e os testes musculares (cinesiologia) que conheci por intermédio daquele aluno no Caribe que tinha um consultório em seu quarto e que acessava os "arquivos" limitadores da mente subconsciente de seus pacientes. O Psych-K™ também utiliza técnicas de integração dos hemisférios direito e esquerdo do cérebro para efetuar mudanças rápidas e de longa duração. O lado espiritual também é levado em consideração em todos os processos do Psych-K™, da mesma maneira que eu o incorporei aos meus estudos científicos. Por meio de um teste muscular, Rob afirma que é possível acessar a mente "superconsciente" da pessoa e verificar se suas metas são seguras e

apropriadas. É um sistema seguro de modificação pessoal que pode ser ensinado a qualquer pessoa que deseja assumir o controle de sua vida deixando de lado o medo e vivendo com amor.

Eu uso o Psych-K™ em minha vida pessoal. Essas técnicas já me ajudaram a modificar várias de minhas crenças auto-limitadoras, inclusive a de que eu não seria capaz de terminar este livro. Hoje posso dizer que você só tem este exemplar em mãos graças ao Psych-K™! Também passei a dar palestras com Rob. Em vez de sugerir à platéia que utilize técnicas de pensamento positivo e de força de vontade ao final, passo a palavra a ele. Embora este livro seja sobre a nova biologia, devo dizer que o Psych-K™ representa um grande passo em direção à nova psicologia do século 21 e dos próximos. Para obter mais informações, consulte o site de Rob: www.psych-k.com.

REFERÊNCIAS BIBLIOGRÁFICAS

INTRODUÇÃO

LIPTON, B. H. (1977a). "A fine structural analysis of normal and modulated cells in myogenic culture" [Uma análise estrutural das células normais e moduladas em cultura miogênica]. *Developmental Biology*, 60: 26-47.

LIPTON, B. H. (1977b). "Collagen synthesis by normal and bromodeoxyridine-treated cells in myogenic culture" [Síntese de colágeno por células normais e tratadas com bromodeoxiridina em cultura miogênica]. *Developmental Biology*, 61: 153-165.

LIPTON, B. H., BENSCH, K. G. *et al.* (1991). "Microvessel endothelial cell transdifferentiation: phenotypic characterization" [Transdiferenciação de células endoteliais de microvasos: caracterização fenotípica]. *Differentiation*, 46: 117-133.

LIPTON, B. H., BENSCH, K. G. *et al.* (1992). "Histamine-modulated transdifferentiation of dermal microvascular endothelial cells" [Transdiferenciação histamino-modulada de células endoteliais microvasculares da derme]. *Experimental Cell Research*, 199: 279-291.

CAPÍTULO UM

ADAMS, C. L., MACLEOD, M. K. *et al.* (2003). "Complete analysis of the B-cell response to a protein antigen, from in vivo germinal centre formation to 3-D modeling of affinity maturation" [Análise completa da reação de células-B a proteínas antígenas, da formação germinal central à modelagem de maturação de afinidade 3-D]. *Immunology*, 108: 274-287.

BALTER, M. (2000). "Was Lamarck just a little bit right?" [Será que Lamarck não tinha razão?]. *Science*, 288: 38.

BLANDEN, R. V. & STEELE, E. J. (1998). "A unifying hypothesis for the molecular mechanism of somatic mutation and gene conversion in rearranged immunoglobulin variable genes" [Uma hipótese unificadora do mecanismo molecular de mutação somática e conversão genética em genes variáveis de imunoglobina]. *Immunology and Cell Biology*, 76(3): 288.

BOUCHER, Y., DOUADY, C. J. *et al.* (2003). "Lateral gene transfer and the origins of prokaryotic groups" [Transferência genética lateral e as origens dos grupos procarióticos]. *Annual Review of Genetics*, 37: 283-328.

DARWIN, Charles (1859) (Publicado inicialmente por Charles Murray em 1859, Londres). *A origem das espécies por meio da seleção natural ou a preservação das raças favorecidas na luta pela vida*. São Paulo: Escala, 2005.

DESPLANQUE, B., HAUTEKEETE, N. *et al.* (2002). "Transgenic weed beets: possible, probable, avoid-able?" [Cultura de vegetais transgênicos: possível, provável, evitável?]. *Journal of Applied Ecology*, 39(4): 561-571.

DIAZ, M. & CASALI, P. (2002). "Somatic immunoglobulin hypermutation" [Hipermutação de imunoglobinas somáticas]. *Current Opinion in Immunology*, 14: 235-240.

DUTTA, C. & PAN, A. (2002). "Horizontal gene transfer and bacterial diversity" [Transferência genética horizontal e diversidade bacterial]. *Journal of Biosciences*, (Bangalore) 27 (1 Supplement 1): 27-33.

GEARHART, P. J. (2002). "The roots of antibody diversity" [As bases da diversidade de anticorpos]. *Nature*, 419: 29-31.

GOGARTEN, J. P. (2003). "Gene transfer: gene swapping craze reaches eukaryotes" [Transferência genética: trocas de genes atingem eucariotas]. *Current Biology*, 13: R53-R54.

HAYGOOD, R., IVES, A. R. *et al.* (2003). "Consequences of recurrent gene flow from crops to wild relatives" [Conseqüências do fluxo de genes recorrentes das safras e de seus parentes silvestres]. *Proceedings of the Royal Society of London*, Series B: Biological Sciences 270(1527): 1879-1886.

HERITAGE, J. (2004). "The fate of transgenes in the human gut" [O destino dos transgênicos no organismo humano]. *Nature Biotechnology*, 22(2): 170+.

JORDANOVA, L. J. (1984). *Lamarck*. Oxford, Oxford University Press.

LAMARCK, J.-B de M., CHEVALIER DE. (1809). *Philosophie zoologique ou exposition des considerations relatives à l'historie naturella des animaux* [A filosofia zoológica ou a exposição das considerações relativas à história natural dos animais]. Paris, Libraire.

LAMARCK, J.-B. de M., CHEVALIER DE. (1914). *Zoological philosophy: an exposition with regard to the natural history of animals* [A filosofia zoológica ou a exposição das considerações relativas à história natural dos animais]. Londres, Macmillan.

LAMARCK, J.-B. de M., CHEVALIER DE. (1963). *Zoological philosophy* [A filosofia zoológica] (fac-símile da edição de 1914). Nova York, Hafner Publishing Co.

LENTON, T. M. (1998). "Gaia and natural selection" [Gaia e a seleção natural]. *Nature*, 394: 439-447.

LI, Y., LI, H. *et al.* (2003). "X-ray snapshots of the maturation of an antibody response to a protein antigen" [Raios X da maturação da reação de um anticorpo ao antígeno de proteína]. *Nature Structural Biology*, 10(6).

LOVELL, J. (2004). *Fresh studies support new mass extinction theory* [Estudos confirmam a nova teoria de extinção de massa]. Reuters, Londres.

MAYR, E. (1976). *Evolution and the diversity of life: selected essays* [Evolução e a diversidade da vida: seleção de ensaios]. Cambridge, Mass., The Belknap Press of Harvard University Press.

MILIUS, S. (2003). "When genes escape: does it matter to crops and weeds?" [Quando os genes escapam: faz diferença para as colheitas e ervas daninhas?]. *Science News*, 164: 232.

NETHERWOOD, T., MARTÍN-ORÚE, S. M. *et al.* (2004). "Assessing the survival of transgenic plant DNA in the human gastrointestinal tract" [Avaliação da sobrevivência dos implantes de DNA transgênico no trato gastrointestinal humano]. *Nature Biotechnology*, 22(2): 204+.

NITZ, N., GOMES, C. *et al.* (2004). "Heritable integration of DNA minicircle sequences from *Trypanosoma cruzi* into the avian genome: insights into human chagas disease" [Integração hereditária de seqüências de minicírculos do *Tripanossoma cruzi* no genoma das aves: descobertas sobre a doença de chagas humana]. *Cell*, 118: 175-186.

PENNISI, E. (2001). "Sequences reveal borrowed genes" [Seqüências revelam genes copiados]. *Science*, 294: 1634-1635.

PENNISI, E. (2004). "Researches trade insights about gene swapping" [Pesquisadores fazem descobertas sobre a troca de genes]. *Science*, 305: 334-335.

RUBY, E., HENDERSON, B. *et al.* (2004). "We get by with a little help from our (little) friends" [Seguimos em frente com uma pequena ajuda de nossos "pequenos" amigos]. *Science*, 303: 1305-1307.

RYAN, F. (2002). *Darwin's blind spot: evolution beyond natural selection* [O ponto cego de Darwin: a evolução além da seleção natural]. Nova York, Houghton Mifflin.

SPENCER, L. J. & SNOW, A. A. (2001). "Fecundity of transgenic wild-crop hybrids of *Cucurbita pepo* (*Cucurbitaceae*): implications for crop-to-wild gene flow" [A fecundidade de plantações híbridas de *Cucurbita pepo* ou *Cucurbitaceae*: implicações do fluxo genético de plantações e ervas daninhas]. *Heredity*, 86: 694-702.

STEELE, E. J., LINDLEY, R.A. *et al.* (1998). *Lamarck's signature: how retrogenes are changing Darwin's natural selection paradigm* [A assinatura de Lamarck: como os retrogenes estão modificando o paradigma da seleção natural de Darwin]. St Leonards NSW Austrália, Allen & Unwin.

STEVENS, C. J., DISE, N. B. *et al.* (2004). "Impact of nitrogen deposition on the species richness of grasslands" [Impacto da deposição de nitrogênio sobre a riqueza de espécies das savanas]. *Science*, 303: 1876-1879.

THOMAS, J. A., TELFER, M. G. *et al.* (2004). "Comparative losses of british butterflies, birds, and plants and the global extinction crisis" [Perdas comparativas das borboletas, pássaros e plantas da Inglaterra e a crise de extinção em massa]. *Science*, 303: 1879+.

WADDINGTON, C. H. (1975). *The evolution of an evolutionist* [A evolução de um evolucionista]. Cornell, Ithaca, Nova York.

WATRUD, L. S., LEE, E. H. *et al.* (2004). "Evidence for landscape-level, pollen-mediated gene flow from genetically modified creeping bentgrass with CP4 EPSPS as a marker" [Evidências do fluxo de genes mediadores do pólen de plantas geneticamente modificadas com CP4 EPSPS]. *Proc. National Academy of Sciences*, 101(40): 14533-14538.

WU, X., FENG, J. *et al.* (2003). "Immunoglobulin somatic hypermutaton: double-strand DNA breaks, AIDs and error-prone DNA repair" [Hipermutação somática de imunoglobina: quebras da dupla espiral de DNA, aids e recuperação de DNA com erros]. *Journal of Clinical Immunology*, 23(4).

CAPÍTULO DOIS

AVERY, O. T., MACLEOD, C. M. *et al.* (1944). "Studies on the chemical nature of the substance inducing transformation of pneumococcal types. Induction of transformation by a deoxyribonucleic acid fraction isolated from *Pneumococcus* type III" [Estudos sobre a natureza química da transformação de substâncias indutoras de tipos *Pneumococcus* tipo III]. *Journal of Experimental Medicine*, 79: 137-158.

BALTIMORE, D. (2001). "Our genome unveiled" [Nosso genôma desvelado]. *Nature*, 409: 814-816.

BAYLIN, S. B. (1997). "DNA methylation: tying it all together: epigenetics, genetics, cell cycle, and cancer" [A união da epigenética, da genética, do ciclo celular e do câncer]. *Science*, 227 (5334): 1948-1949.

BLAXTER, M. (2003). "Two worms are better than one" [Dois vermes são melhores que um]. *Nature*, 426: 395-396.

BRAY, D. (2003). "Molecular prodigality" [Prodigalidade molecular]. *Science*, 299: 1189-1190.

CELNIKER, S. E., WHEELER, D. A. *et al.* (2002). "Finishing a whole-genome shotgun: release of the *Drosophila melanogaster* euchromatic genome sequence" [Concluindo os estudos do genoma: a apresentação da seqüência genômica eucromática da *Drosophila melanogaster*]. *Genome Biology*, 3(12): 0079.1-0079.14.

CHAKRAVARTI, A. & LITTLE, P. (2003). "Nature, nurture and human disease" [Natureza, educação e doenças humanas]. *Nature*, 421: 412-414.

DARWIN, F., Ed. (1888). *Charles Darwin: life and letters* [Charles Darwin: vida e cartas].Londres, Murray.

GOODMAN, L. (2003). "Making a genesweep: it's official!" [A construção de um gene: oficial!]. *Bio-IT World*.

JABLONKA, E. & LAMB, M. (1995). Epigenetic inheritance and evolution: the lamackian dimension [Herança epigenética e evolução: a dimensão lamarquiana]. Oxford, Oxford University Press.

JONES, P. A. (2001) "Death and methylation" [Morte e metilação]. *Nature*, 409: 141-144.

KLING, J. (2003) "Put the blame on methylation" [Culpa da metilação]. *The Scientist*, 27-28.

LEDERBERG, J. (1994). "Honoring Avery, Macleod and McCarty: the team that transformed genetics [Uma homenagem a Avery, Macleod e McCarty: a equipe que transformou a genética]. *The Scientist*, 8: 11.

LIPTON, B. H., BENSCH, K. G. *et al.* (1991). "Microvessel endothelial cell transdifferentiation: phenotypic characterization" [Transdiferenciação de microvasos de células endoteliais: caracterização fenotípica]. *Differentiation*, 46: 117-133.

NIJHOUT, H. F. (1990). "Metaphors and the role of genes in development" [Metáforas e o papel dos genes em desenvolvimento]. *Bioessays*, 12(9): 441-446.

PEARSON, H. (2003). "Geneticists play the numbers game in vain" [Geneticistas jogam com os números em vão]. *Nature*, 423: 576.

PENNISI, E. (2003a). "A low number wins the genesweep pool" [Poucos vencem a batalha da troca de genes]. *Science*, 300: 1484.

PENNISI, E. (2003b). "Gene counters struggle to get the right answer" [Genes contra-atacam para obter as respostas certas]. *Science*, 301: 1040-1041.

PRAY, L. A. (2004). "Epigenetics: genome, meet your environment" [Epigenética: genoma, bem-vindo ao seu ambiente]. *The Scientist*, 14-20.

REIK, W. & WALTER, J. (2001). "Genomic imprinting: parental influence on the genome" [Padrão genômico: influência dos pais no genoma]. *Nature Review Genetics*, 2:21+.

SCHUMUKER, D., CLEMENS, J. C. *et al.* (2000). "Drosophila dscam is an axon guidance receptor exhibiting extraordinary molecular diversity" [Dscam de drosófila é um receptor de guia axonal de extraordinária diversidade molecular]. *Cell*, 101: 671-684.

SEPPA, N. (2000). "Silencing the BRCA1 gene spells trouble" [As dificuldades para se eliminar o gene BRCA1]. *Science News*, 157: 247.

SILVERMAN, P. H. (2004). "Rethinking genetic determinism: with only 30.000 genes, what is it that makes humans human?" [Reconsiderando o determinismo genético: com apenas 30 mil genes, o que torna o ser humano tão humano?]. *The Scientist*, 32-33.

SURANI, M. A. (2001). "Reprogramming of genome function through epigenetic inheritance" [A reprogramação da função genômica por meio da herança epigenética]. *Nature*, 414: 122+.

TSONG, T. Y. (1989). "Deciphering the language of cells" [Decifrando a linguagem das células]. *Trends in Biochemical Sciences*, 14: 89-92.

WATERLAND, R. A. & JIRTLE, R. L. (2003). "Transposable elements: targets for early nutritional effects on epigenetic gene regulation" [Elementos de transposição: objetivos dos efeitos nutricionais primários do ajuste genético]. *Molecular and Cell Biology*, 23(15): 5293-5300.

WATSON, J. D., CRICK, F. H. C. (1953). "Molecular structure of nuclid acids: a structure for deoxyribose nucleic acid" [Estrutura molecular dos ácidos nunclídeos: a estrutura do ácido nucleico deoxirribose]. *Nature*, 171: 737-738.

WILLETT, W. C. (2002). "Balancing life-style and genomics research for disease prevention" [O equilíbrio do estilo de vida e da pesquisa genômica da prevenção das doenças]. *Science*, 296: 695-698.

CAPÍTULO TRÊS

CORNELL, B. A., BRAACH-MAKSVYTIS, V. L. B. *et al.* (1997). "A biosensor that uses ion-channel switches" [Um biossensor que utiliza dispositivos de canais de íons]. *Nature*, 387: 550-583.

TSONG, T. Y. (1989). "Deciphering the language of cells" [Decifrando a linguagem das células]. *Trends in Biochemical Sciences*, 14: 89-92.

CAPÍTULO QUATRO

ANDERSON, G. L., JUDD, H. L. *et al.* (2003). "Effects of estrogen plus progestin on gynecologic cancers and associated diagnostic procedures: the women's health initiative randomized trial" [Efeitos do estrógeno associado à progestina em cânceres ginecológicos e procedimentos de diagnóstico associado: uma iniciativa experimental para a saúde da mulher]. *Journal of the American Medical Association*, 290(13): 1739-1748.

BLACKMAN, C. F., BENANE, S. G. *et al.* (1993). "Evidence for direct effect of magnetic fields on neurite outgrowth" [Evidência do efeito direto de campos magnéticos no desenvolvimento do neurito]. Federation of American Societies for Experimental Biology 7: 801-806.

BLANK, M. (1992). "An K-ATPase function in alternating electric fields" [Uma função K-ATPase para se alternar campos elétricos]. 75th annual meeting of the federation of american societies for experimental biology [75º encontro anual da federação das sociedades norte-americanas de biologia experimental], 23 de abril, Atlanta, Georgia.

CAULEY, J. A., ROBBINS, J. *et al.* (2003). "Effects os estrogen plus progestin in risk of fracture and bone mineral density: the women's health initiative randomized trial" [Efeitos do estrógeno associado à progestina em riscos de fratura e densidade mineral óssea: uma iniciativa experimental para a saúde da mulher]. *Journal of the American Medical Association*, 290(13): 1729-1738.

CHAPMAN, M. S., EKSTROM, C. R. *et al.* (1995). "Optics and interferonetry with Na2 molecules" [Ótica e interferonetria com moléculas de Na2]. *Physical Review Letters*, 74(24): 4783-4786.

CHU, S. (2002). "Cold atoms and quantum control" [Átomos frios e controle quântico]. *Nature*, 416: 206-210.

GIOT, L., BADER, J. S. *et al.* (2003). "A protein interaction map of *Drosophila melanogaster*" [Um mapa de interação protéica da *Drosophila melanogaster*]. *Science*, 302: 1727+.

GOODMAN, R. & BLANK, M. (2002). "Insights into eletromagnetic interaction mechanisms" [Revelações sobre mecanismos de interação eletromagnética]. *Journal of Cellular Physiology*, 192: 16-22.

HACKERMÜLLER, L., UTTENHATER, S. *et al.* (2003). "Wave nature of biomolecules and fluorofullerenes" [A natureza das ondas das biomoléculas e fluorofulerenes]. *Physical Review Letters*, 91(9): 090408-1.

HALLET, M. (2000). "Transcranial magnetic stimulation and the human brain" [Estimulação magnética transcraniana e o cérebro humano]. *Nature*, 406: 147-150.

HELMUTH, L. (2001). "Boosting brain activity from the outside in" [Como estimular externamente a atividade cerebral]. *Science*, 292: 1284-1286.

JANSEN, R., YU, H. *et al.* (2003). "A bayesian networks approach for predicting protein-protein interactions from genomic data" [Método bayesiano de redes para a previsão de interação proteína-proteína de dados genômicos]. *Science*, 302: 449-453.

JIN, M., BLANK, M. *et al.* (2000). "ERK1/2 phosphorylation induced by eletromagnetic fields diminishes during neoplastic transformation" [Fosforilação induzida por campos eletromagnéticos diminui durante a transformação neoplástica]. *Journal of Cell Biology*, 78: 371-379.

KÜBLER-ROSS, Elizabeth (1997). *Sobre a morte e o morrer*. São Paulo: Martins Fontes, 1987.

LI, S., ARMSTRONG, C. M. *et al.* (2004). "A map of the interactone network of the Metazoan C. elegans" [O mapa da rede de interação do Metazoan C. elegans]. *Science*, 303: 540+.

LIBOFF, A. R. (2004). "Toward an electromagnetic paradigm for biology and medicine" [A jornada em direção ao paradigma eletromagnético da biologia e da medicina]. *Journal of Alternative and Complementary Medicine*, 10(1): 41-47.

LIPTON, B. H., BENSCH, K. G. *et al.* (1991). "Microvessel endothelial cell transdifferentiation: phenotypic characterization" [Transdiferenciação endotelial de microvasos das células]. *Differentiation*, 46: 117-133.

McCLARE, C. W. F. (1974). "Resonance in biogenergetics" [Ressonância na bioenergética]. *Annals of the New York Academy of Sciences*, 227: 74-97.

NULL, G., DEAN, C. *et al.* (2003). *Death by medicine* [A morte por meio dos medicamentos]. Nova York, Nutrition Institute of America.

OSCHMAN, J. L. (2000). "Chapter 9: vibrational medicine". *Energy medicine: the scientific basis* [Capítulo 9: medicina vibracional. Medicina energética: a base científica]. Edimburgo, Harcourt Publishers: 121-137.

PAGELS, H. R. (1982). *The cosmic code: quantum physics as the language of nature* [O código cósmico: física quântica como linguagem da natureza]. Nova York, Simon and Schuster.

POOL, R. (1995). "Catching the atom wave" [Surfando na onda dos átomos]. *Science*, 268: 1129-1130.

POPHRISTIC, V. & GOODMAN, L. (2001). "Hyperconjugation not steric repulsion leads to the staggered structure of ethane" [Hiperconjugação e repulsão não estérica leva à estrutura estacionária do etano]. *Nature*, 411: 565-568.

ROSEN, A. D. (1992). "Magnetic field influence on acetycholine release at the neuroromuscular junction" [Campos magnéticos influenciam a liberação de acetilcolina em junções neuromusculares]. *American Journal of Physiology-Cell Physiology*, 262: C1418-C1422.

SHUMAKER, S. A., LEGAULT, C. *et al.* (2003). "Estrogen plus progestin and the incidence of dementia and milk cognitive impairment in postmenopausal women: the women's health initiative memory study. A randomized controlled trial" [Estrógeno mais progestina e a incidência de demência e distúrbios cognitivos em mulheres na menopausa: estudo de memória. Uma iniciativa experimental]. *Journal of the American Medical Association*, 289(20): 2651-2662.

RUMBLES, G. (2001). "A laser that turns down the heat" [O *laser* que diminui o calor]. *Nature*, 409: 572-573.

SIVITZ, L. (2000). "Cells proliferate in magnetic fields" [Proliferação de células em campos magnéticos]. *Science News*, 158: 195.

STARFIELD, B. (2000). "Is US health the best in the world?" [A saúde nos Estados Unidos é a melhor do mundo?]. *Journal of the American Medical Association*, 284(4): 483-485.

SZENT-GYÖRGYI, A. (1960). *Introduction to a submolecular biology* [Introdução à biologia submolecular]. Nova York, Academic Press.

TSONG, T. Y. (1989). "Deciphering the language of cells" [Como decifrar a linguagem das células]. *Trends in Biomedical Sciences*, 14: 89-92.

WASSERTHEIL-SMOLLER, S., HENDRIX, S. L. *et al.* (2003). "Effect of estrogen plus progestin on stroke in postmenopausal women's health initiative: a randomized trial" [Efeitos do estrógeno associado à progestina em problemas femininos da pós-menopausa: uma iniciativa experimental para a saúde da mulher]. *Journal of the American Medical Association*, 289(20): 2673-2684.

WEINHOLD, F. (2001). "A new twist on molecular shape" [Uma nova perspectiva sobre o formato das células]. *Nature*, 411: 539-541.

YEN-PATTON, G. P. A., PATTON, W. F. *et al.* (1988). "Endothelial cell response to pulsed electromagnetic fields: stimulation of growth rate and angiogenesis *in vitro*" [Reação das células endoteliais a pulsos de campos eletromagnéticos: estímulo da taxa de crescimento e angiogênese *in vitro*]. *Journal of Cellular Physiology*, 134: 37-46.

ZUKAV, G. *A dança dos mestres Wu Li: uma visão geral da nova física*. São Paulo: ECE, 1989.

CAPÍTULO CINCO

BROW, W. A. (1998). "The placebo effect: should doctors be prescribing sugar pills?" [Efeito placebo: os médicos devem prescrever pílulas de açúcar?]. *Scientific American*, 278(1): 90-95.

DiRITA, V. J. (2000). "Genomics happens" [O fenômeno genômico]. *Science*, 289: 1488-1489.

DISCOVERY (2003). Placebo: mind over medicine? [Placebo: o controle da mente sobre a medicina?]. Medical Mysteries. Silver Spring, MD, Discovery Health Channel.

GREENBERG, G. (2003). "Is it Prozac? Or placebo?" [É Prozac? Ou será placebo?]. *Mother Jones*: 76-81.

HORGAN, J. (1999). Chapter 4: *Prozac and other placebos. The undiscovered mind: how the human brain defies replication, medication, and explanation* [Prozac e demais placebos. Os mistérios da mente: como o corpo humano desafia replicação, medicação e explicação]. Nova York, The Free Press: 102-136.

KIRSCH, I., MOORE, T. J. *et al.* (2002). "The emperor's new drugs: an analysis of antidepressant medication data submited to the US Food and Drugs Administration" [As novas drogas do imperador: uma análise das informações sobre antidepressivos fornecidas à Food and Drugs Administration]. *Prevention & Treatment* (American Psychological Association) 5: article 23.

LEUCHTER, A. F., COOK, I. A. *et al.* (2002). "Changes in brain function of depressed subjects during treatment with placebo" [Modificações no funcionamento cerebral de pacientes em depressão durante o tratamento com placebo]. *American Journal of Psychiatry*, 159(1): 122-129.

LIPTON, B. H., BENSCH, K. G. *et al.* (1992). "Histamine-modulated transdifferentiation of dermal microvascular endothelial cells" [Transdiferenciação histamino-modulada de células microvasculares endoteliais da derme]. *Experimental Cell Research*, 199: 279-291.

MASON, A. A. (1952). "A case of congenital ichthyosiform erythrodermia of brocq treated by hypnosis" [Um caso de eritrodermia ictiosiforme congênita de Brocq tratada com hipnose]. *British Medical Journal*, 30: 442-443.

MOSELEY, J. B., O'MALLEY, K. *et al.* (2002). "A controlled trial of arthroscopic surgery for osteoarthritis of the knee" [Um processo controlado de cirurgia artroscópica de osteoartrite de joelho]. *New England Journal of Medicine*, 347(2): 81-88.

PERT, Candace (1997). *Molecules of emotion: the science behind mind-body medicine* [Moléculas de emoção: a ciência por trás da medicina mente-corpo]. Nova York, Scribner.

RYLE, G. (1949). *The concept of mind* [O conceito da mente]. Chicago, University of Chicago Press.

CAPÍTULO SEIS

ARNSTERN, A. F. T. & GOLDMAN-RAKIC, P. S. (1998). "Noise stress impairs prefrontal cortical cognitive function in monkeys: evidence for a hyperdopaminergic mechanism" [Estresse causado por barulho prejudica a função cognitiva cortical pré-frontal em macacos: evidência mediante mecanismo hiperdopaminérgico]. *Archives of General Psychiatry*, 55: 362-368.

GOLDSTEIN, L. E., RASMUSSON, A. M. *et al.* (1996). "Role of the Amygdala in the coordination of behavioral, neuroendocrine, and prefrontal cortical monoamine responses to psychological stress in the rat" [Papel da amígdala na coordenação do comportamento, neudroendócrino e respostas à monoamina pre-frontal cortical do estresse psicológico nos ratos]. *Journal of Neuroscience*, 16(15): 4787-4798.

HOLDEN, C. (2003). "Future brightening for depression treatments" [O futuro brilhante dos tratamentos para depressão]. *Science*, 302: 810-813.

KOOP, M. S. & RÉTHELYI, J. (2004). "Where psychology meets physiology: chronic stress and premature mortality – the central-eastern european health paradox" [Onde a psicologia encontra a fisiologia: estresse crônico e mortalidade prematura – o paradoxo da saúde do Leste Europeu]. *Brian Research Bulletin*, 62: 351-367.

LIPTON, B. H., BENSCH, K. G. *et al.* (1991). "Microvessel endothelial cell transdifferentiation: phenotypic characterization" [Transdiferenciação de células endoteliais de microvasos: caracterização fenotípica]. *Differentiation*, 46: 117-133.

McEWEN, B. S. & SEEMAN, T. (1999). "Protective and damaging effects of mediators of stress: elaborating and testing the concepts of allostasis and allostatic load" [Efeitos protetores e prejudiciais dos mediadores do estresse: elaboração e teste dos conceitos de alostase de carga alostática]. *Annals of the New York Academy of Sciences*, 896: 30-47.

McEWEN, B. & LASLEY, Elizabeth N. (2002). *O fim do estresse como nós o conhecemos*. RJ: Nova Fronteira, 2003.

SEGERSTROM, S. C. & MILLER, G. E. (2004). "Psychological stress and the human immune system: a meta-analytic study of 30 years of inquiry" [Estresse psicológico e o sistema imunológico humano: um estudo meta-analítico de 30 anos de investigação]. *Psychological Bulletin*, 130(4): 601-630.

TAKAMATSU, H., NODA, A. *et al.* (2003). "A PET study following treatment with a pharmacological stressor, FG7142, in conscious *rhesus* monkeys" [Um estudo PET após o tratamento com estressante farmacológico, o FG7142, em macacos *rhesus* conscientes]. *Brain Research*, 980: 275-280

CAPÍTULO SETE

ARNSTEN, A. F. T. (2000). "The biology of being frazzled" [A biologia do cansaço]. *Science*, 280: 1711-1712.

BATESON, P., BARKER, D. *et al.* (2004). "Developmental plasticity and human health" [Plasticidade do desenvolvimento e saúde humana]. *Nature*, 430: 419-421.

CHAMBERLAIN, D. (1998). *The mind of your newborn baby* [A mente de seu recém-nascido]. Berkeley, CA, North Atlantic Books.

CHRISTENSEN, D. (2000). "Weight matters, even in the womb status at birth can foreshadow illnesses decades later" [Peso é uma questão importante e o estado no útero na época do nascimento pode anunciar doenças que se desenvolvem apenas décadas depois]. *Science News*, 158: 382-383.

DEVLIN, B., DANIELS, M. *et al.* (1997). "The heritability of IQ" [A hereditariedade do QI]. *Nature*, 388: 468-471.

DODIC, M., HANTZIS, V. *et al.* (2002). "Programming effects of short prenatal exposure to cortisol" [Programação dos efeitos da curta exposição pré-natal ao cortisol]. *Federation of American Societies for Experimental Biology*, 16: 1017-1026.

GLUCKMAN, P. D. & HANSON, M. A. (2004). "Living with the past evolution, development, and patterns of disease" [Convivendo com a evolução, o desenvolvimento e os padrões de doenças]. *Science*, 305: 1733-1736

HOLDEN, C. (1996). "Child development: small refugees suffer the effects of early neglect" [Desenvolvimento infantil: crianças renegadas sofrem os efeitos do abandono]. *Science*, 274(5290): 1076-1077.

LAIBOW, R. (1999). *Clinical applications: medical applications of neurofeedback. Introduction to quantitative EEG and neurofeedback* [Aplicações clínicas. Aplicações médicas de *neurofeedback*. Introdução ao EEG quantitativo e *neurofeedback*]. J. R. Evans and A. Abarbanel. Burlington, MA, Academic Press (Elsevier).

LAIBOW, R. (2002). Personal communication with B. H. Lipton [Comunicação pessoal com B. H. Lipton]. New Jersey.

LESAGE, J., DEL-FAVERO, F. *et al.* (2004). "Prenatal stress induces intrauterine growth restriction and programmes glucose intolerance and feeding behavior disturbances in the aged rat" [Estresse pré-natal induz restrições ao crescimento intra-uterino e causa intolerância à glicose e distúrbios de alimentação em ratos adultos]. *Journal of Endocrinology*, 181: 291-296.

LEUTWYLER, K. (1998). "Don't stress: it is now known to cause developmental problems, weight gain and neurodegenerarion" [Não se estresse: já se sabe que o estresse causa problemas de desenvolvimento, ganho de peso e neurodegeneração]. *Scientific American*, 28-30.

LEWIN, R. (1980). "Is your brain really necessary?" [Seu cérebro é realmente necessário?]. *Science*, 210: 1232-1234.

McGUE, M. (1997). "The democracy of the genes" [A democracia dos genes]. *Nature*, 388: 417-418.

MENDIZZA, M. & PEARCE, J. C. (2001). *Magical parent, magical child* [Pais mágicos, filhos mágicos]. Nevada City, CA, Touch the Future.

NATHANIELSZ, P. W. (1999). *Life the womb: the origin of health and disease* [Vida no útero: a origem da saúde e da doença]. Ithaca, NY, Promethean Press.

NORRETRANDERS, T. (1998). *The user illusion: cutting consciousness down to size* [A ilusão do usuário: a diminuição da consciência para o tamanho certo]. Nova York, Penguin Books.

PRESCOTT, J. W. (1990). *Affectional bonding for the prevention of violent behaviors: neurobiological, psychological and religious/spiritual determinants* [Aliança afetiva para a prevenção de comportamentos violentos: determinantes neurobiológicos, psicológicos e religiosos/espirituais]. Violent behavior, volume I: assessment & intervention [Comportamento violento, volume I: avaliação e intervenção]. L. J. Hertzberg, G. F. Ostrum and J. R. Field. Great Neck, NY, PMA Publishing Corp. One: 95-125.

PRESCOTT, J. W. (1996). "The origins of human love and violence" [As origens do amor e da violência humana]. *Journal of Prenatal et Perinatal Psychology et Health*, 10(3): 143-188.

REIK, W. & WALTER, J. (2001). "Genomic imprinting: parental influence on the genome" [Padrão genômico: influência dos pais sobre o genoma]. *Nature Reviews Genetics*, 2: 21+.

SANDMAN, C. A., WADHWA, P. D. *et al.* (1994). "Psychobiological influences of stress and HPA regulation on the human fetus and infant birth outcomes" [Influências psicológicas do estresse e do ajuste de HPA sobre o feto humano e sobre os resultados do nascimento infantil]. *Annals of the New York Academy of Sciences*, 739 (Models of neuropeptide action) [Modelos de ação neuropeptídicas]: 198-210.

SAPOLSKY, R. M. (1997). "The importance of a well-groomed child" [A importância de uma criança bem tratada]. *Science*, 277: 1620-1621.

SCHULTZ, E. A. & LAVENDA, R. H. (1987). *Cultural anthropology: a prespective on the human condition* [Antropologia cultural: uma perspectiva da condição humana]. St. Paul, MN, West Publishing.

SCIENCE (2001). "Random samples" [Amostras casuais]. *Science*, 292(5515): 205+.

SIEGEL, D. J. (1999). *The developing mind: how relationships and the brain interact to shape who we are* [A mente em desenvolvimento: como os relacionamentos e o cérebro interagem para estabelecer quem somos]. Nova York, Guilford.

SURANI, M. A. (2001). "Reprogramming of genome function through epigenetic inheritance" [Reprogramação das funções do genoma por meio da herança epigenética]. Nature 414: 122+.

VERNY, T. & KELLY, John (1981). *The secret life of the unborn child* [A vida secreta da criança antes de nascer]. Nova York, Bantam Doubleday Dell.

VERNY, T. R. & WEINTRAUB, Pamela (2002). Nova York, Simon & Schuster.

EPÍLOGO

DEWAAL, F. B. M. (2004). "Peace lessons from an unlikely source" [Lições de paz de uma fonte improvável]. Public Library of Science – Biology 2(4): 0434-0436.

MAYR, E. (1976). *Evolution and the diversity of life: selected essays* [Evolução e a diversidade da vida: seleção de ensaios]. Cambridge, Harvard University Press.

PEARSALL, P. (1998). *The heart's code: tapping the wisdom and power of our heart energy* [O código do coração: a sabedoria e o poder da energia de nosso coração]. Nova York, Random House.

SAPOLSKY, R. M. & SHARE, L. J. (2004). "A pacific culture among wild babbons: its emergence and transmission" [Uma comunidade pacífica entre os babuínos selvagens]. Public Library of Science – Biology 2(3): 0534-0541.

SYLVIA, C. & NOVAK, W. (1997). *A voz do coração: um depoimento de Claire Sylvia.* RJ: Ediouro, 1999.

Levamos o livro espírita cada vez mais longe!

Av. Porto Ferreira, 1031 | Parque Iracema
CEP 15809-020 | Catanduva-SP

www.**boanova**.net

boanova@boanova.net

17 3531.4444

17 99777.7413

Siga-nos em nossas redes sociais.

@boanovaed

boanovaeditora

CURTA, COMENTE, COMPARTILHE E SALVE.

utilize #boanovaeditora

Acesse nossa loja

Fale pelo whatsapp